LE PLAISIR... D'ENSEIGNER

DU MÊME AUTEUR

Serviteur de l'amour. Ottawa, Novalis, 1978.

Église, famille et société. Québec, Anne Sigier, 1982.

Éducation sexuelle en famille. Québec, Anne Sigier, 1982.

PIERRE-YVES BOILY

LE PLAISIR... D'ENSEIGNER

Stanké

Données de catalogage avant publication (Canada)
Boily, Pierre-Yves
Le plaisir... d'enseigner
ISBN 2-7604-0361-0
1. Enseignement. 2. Enseignants. I. Titre.
LB1025.2.B64 1990 371.1 C90-096096-5

CARICATURES
Conception: Pierre-Yves Boily
Réalisation: Bruno Roy

ISBN 2-7604-0361-0

Dépôt légal: premier trimestre 1990

IMPRIMÉ AU CANADA

Table des matières

Je remercie Françoise Cordeau pour sa précieuse collaboration à la rédaction de cet ouvrage.

Note préliminaire

Les hommes et les femmes se partageant de façon relativement équitable les postes d'enseignants du primaire à l'université, le masculin du texte se veut un reflet de cette équité et non un mépris d'une des deux moitiés de l'humanité.

I

Tableau d'honneur — Liste des cancres

Tout au long de mon cheminement scolaire, des enseignants m'ont impressionné par leurs forces ou leurs faiblesses. Plusieurs m'ont aidé; quelques-uns m'ont nui. Pour un enfant, pour un adolescent, la mémoire émotive est vive. Les souvenirs que je conserve de mes maîtres et maîtresses sont d'abord affectifs. Bien que j'en aie retiré des connaissances et une culture qui me servent bien maintenant, ce sont d'abord des attitudes face à la vie et face aux domaines du savoir humain qu'ils m'ont transmises.

Il serait fastidieux d'évoquer ici tous les enseignants qui ont jalonné ma route, mais je veux en signaler quelques-uns à titre d'exemples. Ces personnes et ces événements ont produit les racines et le terreau fournissant la sève à mes attentes et à mes préjugés actuels sur le monde de l'éducation.

Je me souviens...

TABLEAU D'HONNEUR

Préscolaire — Le concierge qui, me voyant seul et ennuyé dans le corridor, m'a proposé de distribuer avec lui les berlingots de lait.

1re année — Madame de C. qui m'a fait découvrir avec enthousiasme l'histoire de mon pays.

2e année — Madame D. qui m'a initié à la beauté de la langue, de la diction et au plaisir de l'expression publique par une première récitation devant une assemblée de parents: «Les poules vont-elles au paradis?»

3e année — Mademoiselle D. qui m'a permis d'apprendre l'anglais de façon accélérée dans un cahier spécial et personnel (l'enseignement individualisé avant date).

5e année — Madame D. avec qui j'ai découvert le chant choral et le plaisir de ma voix.

6e année — Madame G. qui a accepté ma première extase amoureuse sans m'encourager ni me décourager.

7e année — Madame L. qui m'a protégé contre la violence physique de mes confrères sans me culpabiliser.

1re secondaire — Monsieur l'abbé F. avec qui j'ai associé mathématiques et douceur.

2e secondaire — Le préfet de discipline qui m'a fait connaître devant mes parents toute l'ampleur du mot *frondeur*.

3e secondaire — Monsieur D., professeur de latin et de français qui m'a appris la rigueur et la limite de la décence en m'excluant de la classe souvent et longtemps pour mes effronteries.

4e secondaire — Monsieur B., professeur de latin à la veille de la retraite, qui m'a transmis son enthousiasme pour la culture et l'histoire latine et grecque malgré sa perte totale du contrôle de la classe.

5e secondaire — Monsieur D. qui incarnait la richesse de la poésie anglaise et l'agilité de l'escrimeur.

— Messieurs D. et B. qui m'ont offert l'occasion inouïe d'intégrer l'expérience théâtrale et les études.

— Monsieur l'abbé V. qui m'a guidé magistralement à travers les mathématiques et le bridge.

— Monsieur R., professeur de physique, qui m'a transmis sa fascination pour les mystères de l'Univers. Je n'y ai rien compris, mais vingt ans plus tard, j'ai lu avec allégresse la théorie de la relativité d'Einstein.

Collège I — Monsieur B. qui m'a fait saisir que derrière la rigueur mathématique grouillait tout un monde métaphysique.

— Monsieur B. qui m'a fait partager son enthousiasme pour la philosophie, l'art et la beauté.

Collège II — Madame S. avec qui j'ai goûté la joie de l'intelligence ouverte et créative dans la littérature française.

Université — Monsieur L. pour qui rigueur et connaissance n'excluaient pas admiration et bonté.

— Madame P. grâce à qui j'ai pu vivre concrètement l'insertion dans une tradition de recherche et de pratique.

Je me souviens...

LISTE DES CANCRES

4e année — Madame B. qui raillait mon orgueil timide de premier de classe.

5e année — La directrice qui me frappa de quinze coups de martinet pour une faute que je n'ai jamais comprise.

1re secondaire— Un professeur de français qui se délectait de notre désarroi en nous lisant voluptueusement un roman érotique comme «détente» du vendredi après-midi. Comme il nous présentait ailleurs la poésie de Félix Leclerc, j'ai malheureusement longtemps associé ce grand poète et la médiocrité.

4e secondaire— Un professeur de chimie qui sacrait comme un charretier pour être à la mode. J'ai détesté la chimie.

Collège II — Un professeur de biologie qui faisait des petites blagues étroites et sexistes. Heureusement que j'ai lu Lorenz et Rostand pour me réconcilier avec ce domaine.

Université — Un professeur qui mettait toutes ses énergies à nous prouver qu'elle était très intelligente, beaucoup plus que nous. Nous n'avons rien retenu de ses démonstrations de haute voltige et rien appris de ses remarques pédantes; elle n'a rien saisi de notre indifférence croissante.

Grandeurs et misères du monde scolaire, nous avons tous eu notre cheminement particulier et, bien sûr, les mêmes enseignants en ont marqué certains tout en laissant les autres indifférents. Une dimension importante de l'aventure de l'éducation se saisit par les repères et les

"Voilà qui motivera les élèves."
"Non! ... les profs!"

expériences qu'offrent les enseignants au flot d'élèves qu'ils rencontrent sans jamais pouvoir mesurer l'impact réel de leur profession. Quel élève relèvera, à quel moment, tel ou tel élément du contenu ou de la pédagogie? Le mystère pour chaque enseignant demeure entier. Si mes maîtresses qui m'ont appris à bien rédiger mes *a* et mes *b* constataient ce que j'en fais maintenant, elles rougiraient probablement de fierté... ou de honte.

Et mes étudiants, où inscriraient-ils mon nom? Au tableau d'honneur ou sur la liste des cancres? Le plaisir d'enseigner...

II

Pour enseigner l'anglais à John, il faut connaître...

Le monde de l'enseignement, comme le monde tout court d'ailleurs, est plein de maximes, devises et proverbes qui ont pour fonction de cristalliser et de renforcer les lignes directrices des principes pédagogiques. «À l'impossible nul n'est tenu»; «L'exception confirme la règle»; «Le temps, c'est de l'argent»; chaque professeur, chaque école, chaque commission scolaire, chaque ministère de l'Éducation produit ou s'approprie ces maximes en leur donnant la couleur du contexte scolaire. Les méthodes et les instruments pédagogiques se succèdent à un rythme fou, mais sous leur aspect de nouveauté se cachent de vieilles rengaines, à peine dépoussiérées, qui ont été la joie et le rempart de centaines de générations d'enseignants depuis Confucius, Socrate ou Moïse.

Je m'inspire ici de l'une d'elles pour illustrer les défis qui se posent à chaque enseignant. «Pour enseigner l'anglais à John, il faut connaître...» John? l'anglais? ou l'enseignement? Répondre demanderait nuances, ellipses, gloses. Choisir l'un de ces trois termes c'est prendre le risque d'aller au plus pressé et de faire un peu court. Or, c'est le risque que prend chaque enseignant à chaque jour de classe. Alors je risque moi aussi: «Pour enseigner l'anglais à John, il faut connaître... les trois!»

Pour enseigner l'anglais à John... mieux vaut connaître John, ses façons de réagir, ses manifestations de perplexité, de confusion, d'intérêt ou de joie de découvrir car son visage, ses attitudes, ses comportements fournissent les repères nécessaires pour adapter le rythme, les exemples, les silences, les éclats et les exercices nécessaires aux apprentissages. Bien sûr, il faut connaître John puisque c'est vers lui que nos énergies se dirigent, pour lui que nous étalons les connaissances et avec lui que nous évaluons les résultats de la transmission. Évidemment, il faut connaître John, car sa façon d'apprendre lui est personnelle, particulière et marquée par ses drames, ses peurs, ses joies et ses amours. La réponse est sans conteste de connaître John, puisque c'est lui qui donnera la réponse.

Mais voilà, il y a un hic! John multiplié par vingt ou trente dans une classe, les groupes d'élèves qui changent à chaque période, à chaque trimestre et à chaque année: un enseignant peut rencontrer cinq cents, mille, dix mille John durant sa carrière. Peut-il connaître John? Bien sûr que non, évidemment pas, mission impossible.

Il reste deux options:

1. Connaître quelques John: les plus actifs, brillants, exigeants, rébarbatifs, ou troublés;

2. Connaître le groupe d'âge de John ainsi que la psychologie de l'enfance, de la préadolescence, de l'adolescence, de la jeunesse et de l'âge adulte.

La première option laisse dans le vague la classe moyenne, l'enseignant s'attachant aux surdoués et aux cas. Les John moyens profiteront d'une pédagogie moyenne, de connaissances moyennes, pour une vie moyenne dans la classe sociale moyenne. La deuxième option conduit à la conformité aux normes de groupe, tous les John anormaux devant être reclassés dans d'autres groupes. Bientôt les deux tiers d'une génération d'étudiants deviendront anormaux, spéciaux, avancés, déficients, recyclés, isolés par catégories et affublés d'étiquettes de plus en plus raffinées. Cul-de-sac!

Pour enseigner l'anglais à John... mieux vaut connaître l'anglais, la matière, le contenu et ses ramifications pour bien doser le programme, pour mieux couvrir le sujet, pour bien expliquer, simplifier, exemplifier, pour mieux répondre aux attentes, aux questions subtiles, aux doutes profonds. Bien sûr, il faut connaître la matière puisque, en principe, John est là pour l'apprendre, la digérer, la retenir, la comprendre et l'utiliser. Évidemment, il faut connaître la matière, car l'humanité ne commence pas avec nous. D'autres avant ont découvert et expliqué des choses et nos élèves, étudiants ou disciples ont tous le droit d'en prendre connaissance avant qu'on leur passe le flambeau. Sans conteste, pour enseigner une matière à John, il faut bien connaître la matière puisque c'est la matière qui est la réponse. Mais voilà, il y a encore un hic!

Dans chaque domaine la recherche évolue et les programmes changent; les idées, autrefois sûres (et autrefois veut souvent dire il y a un ou deux ans!), sont maintenant dépassées. Et puis quelle que soit la matière, personne ne peut la posséder toute, l'intégrer: connaître toute la grammaire, la chimie ou la musique sur le bout de ses doigts est impossible. Un enseignant apprendra l'anglais durant toute sa vie et l'anglais évoluera durant toute sa vie. Alors, peut-il connaître l'anglais? Bien sûr que non; le mandat est absurde.

Il reste deux options:

1. Connaître un peu la matière au programme un peu à l'avance, pour ensuite la livrer aux étudiants au risque de commettre quelques incongruités;
2. Connaître à fond la matière en s'y plongeant à chaque instant, au risque d'en submerger plusieurs.

La première option, où l'enseignant possède peu le contenu, mène tout droit au laxisme et à l'incompétence, entraînant une génération d'élèves à la superficialité. La seconde option, où le professeur relève plus du chercheur que du pédagogue, conduit à la spécialisation à outrance, laissant émerger quelques rares élus tandis que la masse se démobilisera. Cul-de-sac!

Pour enseigner l'anglais à John... mieux vaut connaître l'enseignement, la pédagogie, l'art d'accoucher les esprits, l'art d'apprendre à apprendre, pour stimuler, motiver, structurer, accompagner, tuteurer, pour mieux adapter la matière et mieux rejoindre l'élève. En effet, il faut connaître l'enseignement puisque la profession consiste d'abord à enseigner, peu importe les matières et les John, qui eux changent dans un feu roulant. Évidemment, mieux vaut qu'une armée de pédagogues spécialisés se chargent d'intéresser et de structurer cette foule de jeunes cerveaux et d'âmes pures pour les attirer vers les joies profondes de la découverte plutôt que de les laisser virevolter aux quatre vents des modes. Sans conteste, pour enseigner l'anglais à John, il faut connaître l'enseignement puisque c'est ainsi qu'on obtient des réponses. Encore une fois, hélas! il y a un hic!

L'enseignement peut être considéré à la fois comme un art, comme une science et comme une technique, et à ce triple titre l'enseignement se rattache à la culture, à l'expérience et à l'habileté. «On ne sait comment éduquer un enfant que lorsqu'on a terminé son éducation.» Les meilleurs des enseignants sont à leur retraite, et encore! Les normes, les règles culturelles ont changé, les attentes de la société ont évolué, le code d'éthique s'est modifié, les moyens pédagogiques se sont transformés, et ça continue. Dans ce contexte, nul ne peut vraiment enseigner à enseigner. Pour enseigner l'anglais à John, il faut connaître l'enseignement? Pas du tout, impossible, risqué, biaisé, subjectif.

Il reste deux options:

1. Connaître par autoproclamation la voie céleste de l'art d'enseigner comme Bouddha, Jésus ou Mahomet (avec anciens élèves diplômés comme preuve à l'appui);
2. S'en remettre à des pédagogues spécialistes pour définir la voie bureaucratique à privilégier.

La première option mène aux chapelles, aux sectes, aux excommunications scolaires. La seconde option conduit tout droit au fascisme et à la démobilisation des professeurs. Cul-de-sac!

Alors, après avoir examiné rapidement les trois termes de la maxime, sommes-nous acculés au flou, à la confusion, au chacun-pour-soi? Je ne crois pas. Comme dans la majorité des problèmes humains et scientifiques, la difficulté ne réside pas d'abord dans le fait de trouver la bonne réponse, mais surtout dans l'exercice majeur de bien poser le problème. Le problème bien posé contient souvent en lui-même la réponse. Et ce me semble le cas de notre fameuse maxime.

Pour enseigner l'anglais à John, il faut connaître... «con-naître»... naître avec. Pour enseigner l'anglais à John, il faut naître avec John, à l'anglais, en enseignant. Connaître, ou naître avec, suppose une relation entre au moins deux personnes. Dans cette relation, chacune des personnes ouvre son bagage, ses expériences, ses connaissances à l'autre et s'ouvre en même temps aux richesses de l'autre. Le professeur apprend des élèves autant que ceux-ci apprennent de lui. La relation de «con-naissance» permet à chacune des personnes de se mouvoir, de grandir, de découvrir, de vivre encore plus. L'enseignement devient une connaissance centrée pour un moment sur un thème de la vie. Le maître et les disciples découvrent, chacun à partir de son propre savoir et en y intégrant celui de l'autre, le savoir, le savoir-être, le savoir-vivre, le savoir-faire, etc.

«Con-naître» implique une relation entre des êtres humains et les relations entre les êtres humains intègrent nécessairement une large dimension émotive et affective. Chez les Hébreux, le terme «con-naître» était appliqué à la relation conjugale: l'homme connaît la femme et la femme connaît l'homme, ce qui signifiait que le couple s'aimait. La relation de «con-naissance» conduit à l'amour, sous toutes ses formes. Dans le monde scolaire, la forme de cet amour se traduit dans l'appréciation mutuelle des étudiants et des professeurs.

Pour enseigner l'anglais à John, il faut «con-naître»... aimer John, l'anglais et l'enseignement. Utopie, idéal, diront les uns. Réductionnisme, simplification, diront les autres. Aimer ou «con-naître» John, la matière et l'enseignement me semble quand même la voie vers... le plaisir d'enseigner.

« Je suis mûr pour l'enseignement. »

III

Art et spectacle

Les souvenirs les plus vifs de ma carrière d'étudiant sont liés à des moments passionnants ou dramatiques. Ces drames, revus à la lumière de la bêtise humaine, nous mènent tous à certains moments à dénigrer la beauté et la fragilité des autres. Par ailleurs, les moments passionnants de la vie scolaire me semblent tous relever de la même finesse de l'âme et de l'esprit. Les professeurs, instituteurs, maîtres qui nous ont le mieux permis d'apprendre agissaient en artistes, créant des moments d'intimité, de plaisir, de grâce pour un élève ou pour toute la classe réunie. L'éducateur ou l'enseignante y mettait une touche de spectacle, un brin de folie sans tomber dans la clownerie, sans rechercher l'effet à tout prix.

L'enseignement est un art. C'est d'abord l'art de communiquer la soif et le plaisir du savoir. J'oserai dire que l'art d'enseigner suppose une tendresse et un désir pour le savoir de l'autre et culmine dans de rares moments de jouissance collective où jaillit la lumière de l'intelligence sous toutes ses formes. Pour quelques secondes ou quelques minutes, une communion intense s'établit entre le maître et les disciples sans pour autant que chacun puisse nommer ce qu'il a saisi, compris ou ressenti. Ces moments privilégiés marquent des étapes d'apprentissage, comme si tout à coup l'Univers, s'élargissant, faisait découvrir des possibilités insoupçonnées. L'art de l'enseignement se tend tout entier vers ces moments difficiles à prévoir, impossibles à évaluer, où l'esprit, le corps, le cœur et l'âme des élèves vibrent à la «con-naissance».

Communiquer la soif et le plaisir du savoir suppose un sens du spectacle et de la mise en scène, surtout à notre époque où tous les sens sont constamment sollicités par un environnement trépidant et électronique. Un professeur, seul dans une classe, ne peut entrer en compétition avec des productions ayant coûté des millions de dollars, mais il possède de très nets avantages sur les grandes machines à spectacle. Il possède le contact direct et quotidien avec le client, la possibilité de la réaction et de l'ajustement immédiat, les phénomènes du groupe plutôt que ceux d'une foule anonyme. De plus, les attentes souvent minimales, un public captif, une participation nécessaire des spectateurs, implicitement reconnus par tous, un espace scénique relativement vaste et circonvenant tous les auditeurs ne sont pas à négliger comme avantages de l'enseignant sur les médias. L'occasion de remodeler le spectacle si la première a été démolie par les critiques, un répertoire immense même s'il est restreint à un champ d'étude, aucune exigence de rentabilité économique à court terme, et l'immense avantage de pouvoir reporter sur un grand nombre d'autres intervenants la responsabilité des échecs, voilà des éléments qui distinguent avantageusement le spectacle scolaire du spectacle commercial.

Les moyens du spectacle de l'enseignement relèvent à la fois du théâtre, du cinéma, de l'art oratoire, de la poésie, de l'animation, du mime, du dessin, de la comédie, de la dialectique, de l'apologétique, de la maïeutique, de la bureautique, de la psychologie, de la danse, de l'architecture, et du système *D*. Susciter l'intérêt par une histoire; attirer l'attention par un cri, un geste, une expérience; cristalliser une notion dans une bonne blague; intriguer par un silence, un paradoxe; augmenter la tension dramatique en se déplaçant derrière le groupe; modifier la disposition des lieux pour changer l'atmosphère;

« Servez-vous d'abord de votre tête. »

provoquer l'intelligence par des questions ouvertes, fermées, piégées, à la ronde; développer la conscience de l'immédiat par des commentaires sur les attitudes non verbales des étudiants; modifier le niveau d'écoute en changeant le ton de sa voix; illustrer, exemplifier, démontrer par des tableaux, des schémas, des images, des films; impressionner par son visage, ses yeux, ses mimiques; hypnotiser par ses tics, ses manières, ses déplacements; chaque enseignant dispose d'un éventail presque infini en mélangeant tous ces moyens pour offrir un spectacle pédagogique de qualité.

Lorsqu'un comédien se glorifie d'avoir donné deux cents représentations dans une année, n'importe quel enseignant pourrait sourire... poliment, bien sûr. Le comédien conserve le même scénario et change de public; le professeur conserve le même public et change de scénario tous les jours. Le défi quotidien de l'art d'enseigner est lourd et n'atteint pas toujours son objectif. Il arrive que les conditions pour un bon spectacle ne soient pas réunies: l'artiste est fatigué ou préoccupé, les spectateurs sont las, saturés, la salle est froide, le temps manque. Mais il arrive aussi et souvent que la joie de l'artiste-professeur prenne le dessus, et alors il déroule devant ses étudiants toutes les finesses de son art, de son expérience et ceux-ci assistent et participent à un spectacle qui les fera encore grandir un peu, s'élever vers un plus-être.

La joie du maître me semble la condition essentielle à l'accomplissement du miracle de l'enseignement. L'art et le spectacle de l'éducation supposent la joie profonde de savoir ce que l'on fait, pourquoi on le fait, et d'y adhérer de tout son être. Joie n'implique pas nécessairement plaisir immédiat; joie n'élimine pas souffrances et fatigues; joie ne suppose pas bonheur béat ou excitation naïve. La joie de l'enseignement se réalise dans la conscience d'être un acteur privilégié dans la découverte du savoir et de la «con-naissance». Chaque enseignant peut en faire ou en refaire l'expérience et y découvrir ou y redécouvrir... le plaisir d'enseigner.

IV

Routine et création

Nous avons tous besoin de routine, d'habitudes ou de rituels pour conforter notre sentiment de sécurité et parce que nous n'avons ni le potentiel, ni l'énergie pour faire face constamment à la nouveauté. La routine devient l'instrument des sages: «Vingt fois sur le métier...». Le geste routinier permet le repos, la digestion, la petite victoire facile et nécessaire. La routine encadre les relations, elle sécurise, conserve les énergies. Chaque enseignant a besoin de routines acquises à force d'expériences et/ou de traditions.

Quel professeur n'a pas resservi la même blague à au moins quelques groupes d'étudiants? Il y a même des blagues qui s'érigent en tradition. Chaque génération d'élèves prévient la suivante que telle blague sera inéluctable, mais le suspense du moment demeure sous le contrôle du professeur. Ainsi, le commentaire humoristique d'un vieux professeur de français: «Pour les évidences, messieurs, cela va sans dire... mais cela va mieux en les disant». À mon tour de prendre la relève, d'assurer la tradition, de refaire le même jeu de mots à mes étudiants. La routine, pourquoi pas? Réinventer la pédagogie chaque jour de *A* à *Z* relève de la pire folie, de l'illusion.

Pour les mêmes raisons que pour l'enseignant, et pour répondre aux mêmes besoins, les élèves aussi ont besoin de routine. Apprendre, comprendre et expérimenter supposent temps, sécurité et points de repère. La répétition de phrases, de gestes et d'expériences permet à l'étudiant d'intégrer et d'apprivoiser les exigences, le style et les attentes d'un professeur et de coopérer ainsi à établir une relation de confiance dans laquelle se feront les apprentissages.

Dans les relations humaines, à quelque niveau que ce soit, la confiance s'établit à travers les habitudes, les traditions et les routines. Un peuple n'a plus confiance en lui-même s'il oublie ou s'il renie ses racines et ses traditions; un couple détruit la confiance s'il ne développe pas d'habitudes communes, de promesses communes intégrées au quotidien; les élèves ne développent pas de confiance envers un enseignant surgissant sans fin d'une boîte à surprises; les étudiants ne font pas confiance à un professeur incongru, inconséquent ou sans routine.

Bien sûr, avec la routine, il y a le risque de la monotonie, du désenchantement ou du désintérêt autant pour le professeur que pour les étudiants. La routine, les rituels, les traditions, les habitudes (disposition des travaux, rythme des examens, critères d'évaluation, prise des présences, etc.) entraînent le repos, la sécurité, la confiance. Rigidifiées et érigées en dogmes, les routines étouffent la vie et la motivation (Tout retard n'est pas toujours inadmissible). Il faut des routines d'éducation, oui, mais pas des enseignants momifiés!

Paradoxalement, la créativité surgit de la routine. Parce qu'un enseignant développe par ses habitudes la sécurité, la confiance, le plein d'énergie en lui comme chez ses étudiants, il peut exprimer sa créativité et susciter la création, l'initiative chez ses étudiants. Personne n'est très créatif au sens artistique lorsqu'il doit consacrer presque toute son énergie à la survie physique ou affective. Par ailleurs, dans un contexte relativement sécurisant (être en milieu de connaissance ou être sûr des consignes), notre créativité peut nous permettre de reculer nos limites intellectuelles et affectives. L'élan de création se rencontre aussi

« Je consulte pour trouver de nouveaux moyens pédagogiques. »

dans des situations de crise ou de nécessité, mais dans le cadre de l'éducation scolaire mieux vaut baser la créativité sur un climat général de sécurité et de confiance.

La créativité se manifeste chez l'enseignant de multiples façons: inventer un nouvel exemple, composer un nouvel exercice; développer une nouvelle imagerie ou un scénario pédagogique différent; percevoir un étudiant autrement; recadrer positivement un comportement agaçant (reconnaître le vif intérêt d'un étudiant qui lève constamment la main); soulever de nouvelles questions; susciter des initiatives; utiliser une forme d'humour inhabituelle.

Tous ces gestes ou moments de création attirent l'étonnement, l'intérêt, le sourire complice de la plupart des élèves qui, à leur tour, développent leur propre créativité.

«*In medio stat virtus*» (La vertu se situe entre les extrêmes). Le dosage du duo routine et création constitue l'une des formes les plus nobles de l'art d'enseigner. La dose diffère d'un enseignant à l'autre, d'une classe à l'autre, d'un niveau à l'autre. Tout cela s'apprend par essais et erreurs, par erreurs surtout si l'on considère les erreurs comme partie intégrante du... plaisir d'enseigner.

V

La vocation de l'enseignement

Lors de journées pédagogiques, je confronte souvent des enseignants blasés, leur disant:

— Vous n'êtes pas assez fous pour continuer à enseigner sous le seul prétexte que ce travail vous rapporte de l'argent, car si tel était le cas vous ne résisteriez pas aux exigences constantes et au stress de ce métier;

— Vous avez sûrement des motivations autres que la survie financière, même les jours les plus sombres;

— Vous croyez à la mission de l'éducation et à votre part dans cette mission, même si, par moments, vous accumulez des preuves du contraire;

— Vous ne seriez plus ici si cette petite flamme était éteinte; vous ne pourriez jouer double jeu dans un contexte aussi exigeant que celui du monde scolaire.

L'enseignement ne peut être considéré comme les autres métiers. Cette profession devient une vocation car les personnes qui l'exercent professent justement des valeurs. Enseigner signifie mettre sa marque, indiquer une voie, un moyen. Enseigner, c'est inciter, inviter, pousser ou inspirer vers toutes les formes du savoir. Éduquer signifie conduire, former, élever ou instruire les personnes en fonction de principes intellectuels, moraux, affectifs et sociaux. L'enseignement, quels que soient le niveau et la matière, ne peut se restreindre à l'application de techniques pédagogiques pour transmettre des savoirs dits objectifs. L'enseignement se vit, il se présente comme une vocation, comme un appel entendu par le maître, comme un appel transmis à l'élève pour découvrir et apprivoiser les arts et les savoirs de la vie.

Le mot *vocation* revêt l'enseignement d'une connotation religieuse. Et pourquoi pas? Religion vient de *religare,* qui signifie faire des liens entre tout et tous. N'est-ce pas ce que chaque professeur tente de faire: des liens entre tout et tous à partir d'options, de principes, de valeurs ou de croyances plus ou moins consciemment choisis? Il ne s'agit pas ici de tomber dans le mysticisme ou le spiritualisme à tout crin, mais bien de reconnaître l'ampleur du métier d'enseignant et l'impact potentiel de cette profession sur chacun des élèves et sur l'ensemble de la société à bâtir. Discours moralisateur ou discours moral nécessaire pour situer les buts premiers et la raison d'être de l'enseignement?

Un professeur n'est pas un ministre religieux, mais pour assumer pleinement sa tâche il a besoin d'une bonne dose de philosophie (ou de gros bon sens), de métaphysique (ou de recul), de spiritualité (ou d'un sens à la vie), de poésie (ou de capacité de rêver) et d'humour. Une personne qui accepte d'enseigner s'engage, qu'elle le veuille ou non, à fournir des fragments de réponse aux questions de base de tout être humain: D'où venons-nous? Qui sommes-nous? Où allons-nous? et comment?

Je ne crois pas qu'un adulte puisse soutenir ces questions bien longtemps uniquement pour le salaire, ou pour les deux mois de vacances, ou pour une retraite dorée. Je crois que l'enseignement relève de la vocation parce qu'on y est confronté quotidiennement, sous une forme scolaire,

« N'importe qui peut enseigner, voyons... »

au drame humain, aux aspirations fondamentales. Cette notion de vocation demeure générale et n'arme pas pour les difficultés de chaque jour à l'école, mais il me semble qu'il n'est pas mauvais d'y recourir lorsqu'on veut cerner... le plaisir d'enseigner.

VI

Mythes et tendances

L'école n'est ni meilleure, ni pire que le milieu dans lequel elle baigne. Les professeurs, les étudiants, les administrateurs participent d'une culture ou d'une sous-culture commune au quartier, à la ville, à la région ou au pays. Le monde scolaire collabore à sa façon pour créer, renforcer, diffuser des mythes et des tendances socioculturelles. Les exigences et les interdits, les prescriptions et les injonctions d'une société se reflètent et se transmettent à l'école avec tout un bagage de justifications disciplino-pédagogiquo-intello-psycho-sociologiques. Ces pressions et ces limites, plus ou moins inconscientes, plus ou moins explicites, s'exercent autant sur les enseignants que par eux.

Relevons ici à grands traits quelques-uns de ces mythes et tendances:

Un élève soumis est un bon élève. Les élèves doivent écouter les enseignants, qui possèdent la vérité et la transmettent. Les élèves doivent retenir, ne pas contester, prendre des notes, faire les travaux et les remettre à temps, donner les bonnes réponses, être constamment attentifs et ne pas déranger les autres. Les élèves doivent être toujours polis, toujours bien mis et toujours prêts, l'important étant de plaire. Les élèves qui ne se soumettent pas à ces quelques simples exigences sont des cas.

Un excellent élève réussit partout. La mission d'un élève consiste à viser l'excellence afin de prouver à ses maîtres et à ses parents qu'ils ont réussi dans leur tâche d'éducation. Il s'agit simplement d'obtenir cent pour cent dans toutes les disciplines scolaires, d'exceller dans plusieurs sports, de développer des loisirs expressifs et créatifs, d'avoir des goûts, des idées et des sentiments très personnels, d'être autonome, sociable, vif, tenace, doux, ferme et patient et de s'entourer d'amis du même gabarit. L'important, c'est la perfection. Un élève qui n'a pas atteint cette perfection doit être motivé à s'y consacrer davantage. La course est à l'excellence.

La priorité est de couvrir tout le programme. Les étudiants seront évalués sur l'ensemble du programme. Les enseignants seront évalués sur l'évaluation de leurs étudiants quant au programme. L'école sera évaluée sur l'ensemble des évaluations de l'ensemble des programmes. Et les programmeurs seront éva... normaliseront et modifieront les programmes. Pas d'espace pour les sentiments, le programme n'en prévoit pas. Pas de mention des valeurs sous-jacentes à une matière, le programme ne le spécifie pas. Pas trop de longues explications, on ne terminera jamais le programme. Et pour les élèves qui n'ont pas tout saisi, on prévoit d'autres programmes spéciaux, allégés, ou de récupération.

Les élèves intelligents ont de bonnes notes. L'intelligence se mesure, se quantifie, et la meilleure façon de le faire consiste à coter le niveau de régurgitation de la matière. Plus un étudiant connaît et livre les bonnes réponses, plus il est intelligent et plus il aura un avenir. Mieux vaut fournir dix bonnes réponses sur la matière couverte par le programme que de pouvoir formuler une bonne question sur cette même matière. Élève Gilles Vigneault, vous êtes dans la lune! Élève Michel Tremblay, votre vocabulaire est pauvre! Élève Albert Einstein, recalé en maths! Élève Norman Bethune, mauvaises notes en histoire et en géographie! Les élèves intelligents ont de bonnes notes!

Une école disciplinée fournit la meilleure éducation. Chacun doit être gentil. Tout le monde doit être gentil. Personne n'a le droit de ne pas être gentil. Si un élève n'est pas gentil, un gentil enseignant lui montrera comment être gentil en l'envoyant gentiment au gentil directeur qui en discutera avec gentillesse avec ses gentils parents qui insisteront sur l'importance d'être gentil.

Les apprentissages se font dans la liberté créative. Rien ne sert de te transmettre ce que des milliards d'êtres humains ont découvert avant toi, tu recommences à zéro. Nul besoin de cadre, de structure, de règles, d'exigences, car il est bien connu que de cinq à vingt ans toutes les énergies sont naturellement centrées sur l'acquisition de l'ensemble des civilisations. La liberté ne serait pas d'assumer les choix que l'on fait mais bien la possibilité de choisir, quelles qu'en soient les conséquences. L'important avec notre bon petit sauvage est de ne pas brimer ses élans naturels vers le bon, le beau, le vrai.

Seul l'effort compte. Il ne faut pas que les étudiants s'assoient sur leurs lauriers ou se satisfassent d'un résultat moyen. Toujours plus haut, toujours plus loin, l'important est l'effort. Les enseignants sont chargés de motiver les élèves à en faire jusqu'à la fin. Et si quelques-uns s'écroulent, on les référera au psychologue scolaire. Les brillants qui ne font pas d'efforts se casseront la gueule plus tard.

L'intelligence n'a d'égale que la vitesse. Ne perdons pas de temps; le temps c'est de l'argent; dépêchez-vous, nous allons manquer de temps. Les professeurs n'ont pas le temps d'enseigner parce que les élèves n'ont pas le temps d'apprendre puisqu'il leur faut trouver du temps pour faire tous les travaux que les autres professeurs leur ont assignés faute de temps. Nous vivons dans une société cardiaque où la faute suprême consiste à prendre le temps de perdre son temps.

L'autonomie est le bien le plus précieux. Les élèves doivent être capables de choisir et de décider seuls, sans se laisser influencer par qui que ce soit. Chacun est une île, et les relations, les engagements sont secondaires. Le «Je pense donc je suis» de Descartes a fait des ravages avec son cortège d'individualisme, de rationalité, de linéarité et d'existentialisme menant à l'absurde! La tâche des enseignants se réduit à accompagner les étudiants sans les influencer, à les stimuler tout en les encourageant à se débrouiller seuls, dans la plus grande objectivité. À bas la souveraineté-association! Vive l'indépendance!... des élèves, bien sûr. Et tant pis pour les pauvres étudiants qui vivent encore de l'interdépendance, il ne leur restera plus que la grisaille de la vie en société.

Les forts auront les meilleures places. À l'école, diront les protagonistes de cette attitude, il ne faut pas montrer ses faiblesses; l'important est d'être fort. Les élèves ne doivent pas être trop anxieux avant un examen. Chaque étudiant doit prendre sur lui, éviter la colère, la tristesse publique, dépasser ses limites avec courage pour apprendre à se défendre dans la vie. Les faibles seront classés hyperactifs, hypersensibles, braillards, peureux, sous-doués, inquiétants, dépressifs, irresponsables. Les forts auront toutes les qualités pour devenir des personnalités politiques d'envergure: un dos de canard, une santé de cheval et une tête de cochon.

Nous sommes tous plus ou moins tributaires de mythes et de tendances; c'est le prix à payer pour partager une culture. Le doute systématique en éducation provoquerait un immobilisme morbide. Par ailleurs, que des enseignants se permettent de temps à autre de réfléchir, de discuter, d'évaluer ensemble leurs expériences sur les «toujours» et les «jamais», cela favorisera la nuance des grands principes pédagogiques à la mode. Les règles, les tendances et les cadres de référence servent à mieux saisir la réalité des étudiants, mais ils ne doivent pas enfermer cette réalité. Les règles, les normes d'éducation sont nécessaires, à condition de n'être que des points de repère et non des carcans.

« Ne croyez pas tout ce que l'on vous dit; croyez-moi! »

Reprenons rapidement en les commentant les tendances précédemment esquissées.

— Qu'un élève se soumette, oui; qu'il devienne esclave, non.

— Qu'un élève récidive dans la non-réussite, bravo, surtout s'il réussit à assumer ses échecs.

— Que le programme soit un guide, bien sûr; qu'il soit un dieu, jamais.

— Que l'intelligence soit reconnue et encouragée, oui, sous toutes ses formes: intellectuelle, affective, créatrice, de mémoire, de synthèse, pratique, conceptuelle, visuelle, auditive, kinesthésique, expressive, tactique, stratégique, etc.

— Que l'école soit disciplinée sans être une armée, ni une usine, ni une prison.

— Que la liberté créatrice favorise les apprentissages en y associant le sens de la responsabilité, de l'engagement personnel et communautaire.

— Que l'effort soit nécessaire autant que le plaisir et la détente.

— Vite et bien, mais que le bien passe avant la vitesse.

— L'autonomie, oui, pour assumer ses liens d'interdépendance avec les autres.

— La force, bien sûr, et d'abord celle de reconnaître ses faiblesses.

Un brin de sagesse renforce... le plaisir d'enseigner.

VII

Autorité et responsabilité

Une des tendances à la mode dans le monde de l'éducation depuis la fin des années soixante se formule comme ceci: Il faut se mettre au niveau des étudiants, devenir leur ami. C'est la génération «Passe-Partout»; tout le monde est l'ami de tout le monde. On a donc assisté au passage du «vous» au «tu» dans la relation professeur-élève. Une sainte horreur de la hiérarchie s'est installée, prenant naissance au sein des familles. L'idéal des parents était désormais d'entretenir une relation égalitaire avec leurs enfants devenus adolescents et jeunes adultes. L'écoute active, la négociation, la compréhension attentive, la suggestion ouverte s'annonçaient comme les nouvelles armes pédagogiques susceptibles de créer une génération libérée, non traumatisée, capable d'exprimer ses émotions. À l'école, chaque enseignant s'est mis à l'écoute des besoins des étudiants et leur a formulé des connaissances dites objectives, mais sans vouloir les influencer. Les professeurs populaires étaient jeunes et dynamiques et parlaient un langage savoureux, populaire, reniant toute forme explicite d'évaluation et de discipline.

Les mots *autorité* et *punition* relèvent dès lors du folklore, de la tradition, voire même du conservatisme enragé. Le mot *vieux* sonne comme une maladie, un défaut, une tare qu'il faut cacher. Le mot *jeune* représente la qualité, l'idéal: rester jeune, posséder un cœur jeune, avoir des idées jeunes, montrer une allure jeune, se mettre au niveau des jeunes. Le mot *autorité* résonne comme fasciste, réactionnaire, lié à l'institution, à l'embrigadement. Mieux vaut parler de responsables, de spécialistes ou de conseillers. Oublions les maîtres, maîtresses, instituteurs, et parlons d'enseignants, de pédagogues, d'amis.

Or, au retour du balancier, au milieu des années quatre-vingt, voilà que dans le système scolaire on recommence à parler de discipline, de contrôle des élèves, de distance pédagogique, de conséquences des gestes posés, de droits et de devoirs; nous revoilà *back to basics,* à la case départ.

Il me semble que les étudiants, de quelque groupe d'âge qu'ils soient, s'attendent à rencontrer des professeurs authentiques bardés des trois «con» de la profession: congruence, concordance, compétence. Un professeur congruent agit avec les idées, les émotions, les habitudes de son âge, de son expérience de vie, sans édulcorer ou déguiser sa personne sous prétexte de faire jeune. Un professeur concordant signale clairement, par ses façons de faire, qu'il est en accord avec la tâche qui lui incombe et avec l'institution dans laquelle il œuvre, sans se draper d'ésotérisme anarchique sous prétexte de se mettre au-dessus de la mêlée. Un professeur compétent sait dire ce qu'il sait et ce qu'il ne sait pas sans afficher d'aspiration à l'inculture sous prétexte de libéralisme. Un enseignant congruent, concordant et compétent fait figure d'autorité pour des étudiants, et cette figure doit être assumée pour favoriser la «con-naissance» à chacune des étapes scolaires.

L'enseignant rend service aux étudiants en acceptant l'autorité de sa charge puisqu'il engage sa responsabilité, son expérience et son savoir dans l'accomplissement des objectifs d'éducation dont les étudiants bénéficieront. Autorité suppose *leadership,* structure, règles, hiérarchie. On a beau vouloir mettre de la chair au savoir, il lui faut aussi un squelette. L'autorité d'un professeur ressemble à la fois au jardinier et au tuteur. Le jardinier plante les

“Nous sommes tous deux égaux. Alors tu vas faire ce que je dis parce que tu en as envie; d'accord?”

bons légumes au bon moment et au bon endroit. Il butte la terre autour des plants et l'engraisse. Le tuteur retiendra le jeune plant afin de lui assurer eau et lumière tout en le protégeant des intempéries.

En exerçant cette forme d'autorité-service, l'enseignant engage sa responsabilité personnelle et professionnelle, c'est-à-dire qu'il assume une grande part du processus scolaire, du contexte pédagogique et de leurs conséquences pour les étudiants dont il a la charge. Cette responsabilité peut être par moments large et lourde puisque les attentes sociales et individuelles et les objectifs sont nombreux alors que les moyens sont souvent insuffisants en termes de temps, d'argent, d'encadrement, de matériel ou de conditions de travail. C'est dans ce contexte que l'on peut mieux saisir l'importance de l'action syndicale et des comités pédagogiques. Isolé, un enseignant ne peut longtemps assumer la responsabilité qui lui incombe. L'entraide, la coopération et la solidarité entre les professeurs demeurent des dynamiques nécessaires sans lesquelles chacun court au *burn-out* ou à une attitude démissionnaire face à l'autorité qu'il doit exercer.

Si l'autorité-service suppose responsabilité et solidarité, il lui faut aussi un contrepoids pour qu'autorité ne devienne pas despotisme. Pour qu'un enseignant responsable exerce une autorité éclairée, il doit s'exposer à la critique et reconnaître cette critique comme nécessaire et utile. Dans le monde scolaire, la fonction critique s'exerce par plusieurs canaux. D'abord individuellement: les élèves, les parents et les pairs. Ensuite de façon plus formelle: les comités d'école, de parents, d'enseignants et la direction. Toute personne en autorité ne peut fermer les yeux à la critique même si elle doit en pondérer les sources, les contenus et les formes.

La recherche de l'équilibre entre la solidarité et la critique afin d'assumer de façon responsable l'autorité-service demeurera toujours une des dynamiques importantes du... plaisir d'enseigner.

VIII

Se protéger en enseignant

Nous pouvons nous imaginer l'enseignement comme une aventure: traverser la jungle une nuit sans lune, sans accessoires; entendre des bruits insolites surgis de partout; remplir une mission secrète dont personne ne reconnaîtra le succès. Dramatique à souhait! L'enseignant-aventurier risque à chaque instant de vibrer à des peurs nouvelles, de tomber dans de vilains pièges, de se blesser sur des sentiers parsemés de ronces ou de se faire piquer par des moustiques fiévreux, d'où l'importance de se protéger pour que l'expédition pédagogique ne devienne pas son dernier cauchemar.

Se protéger de quoi et comment? D'abord reconsidérer la tâche. Elle consiste à (choix multiples):

1. Plaire à tous les étudiants en leur faisant saisir toute la matière dans un climat toujours serein;

2. S'assurer la paix par une docilité et un silence absolus;

3. Stimuler chaque jour par de nouvelles découvertes;

4. Respecter toutes les normes pédagogiques et administratives;

5. Répondre clairement à toutes les questions;

6. Faire face efficacement à toutes les situations de crise et à tous les besoins;
7. Aucune de ces réponses.

Personnellement je préfère le choix n° 7. Souvent l'angoisse dans la jungle scolaire survient au moment où l'enseignant se confie à lui-même des missions impossibles. Les exigences de la tâche sont suffisamment grandes sans que le professeur en rajoute par auto-analyse, autocensure ou autosurveillance démesurées. Se donner des défis, soit; développer son potentiel, d'accord; répondre le mieux possible aux attentes, passe encore; se prendre pour LE MAÎTRE, JAMAIS! Un bon moyen d'être déçu de la façon dont on accomplit sa tâche consiste à entretenir des attentes trop élevées. À l'inverse, un bon moyen d'être déchiré par sa tâche réside dans l'échafaudage d'attentes floues, confuses ou imprécises. Une façon de se protéger comme enseignant est de préciser et de revoir régulièrement, seul ou en groupe, sa tâche, sa mission. La recherche de l'Eldorado et le voyage sans but constituent des écueils à éviter à moins de viser l'épuisement, la dépression, le rejet ou la lapidation.

Un enseignant peut aussi se protéger en développant l'acceptation de sa propre personnalité et de ses talents surtout. On a souvent mis l'emphase sur l'acceptation de ses limites personnelles et cette attitude est nécessaire au bien-être et à la sécurité de chaque individu. Un professeur qui accepte ses limites franchit un pas important dans l'accomplissement de sa fonction à la condition que le pas suivant ou concomitant soit de reconnaître aussi ses talents. Lorsqu'une personne en arrive à dire sans sourciller quelles sont ses forces, ses habiletés ou ses beautés, elle peut aisément trouver les ressources pour se protéger dans les moments difficiles. Chaque enseignant possède et développe des talents intellectuels, affectifs, sociaux, pédagogiques, et c'est d'abord à partir de ses qualités qu'il offrira toutes ses ressources sans empiéter sur ses limites.

Pour «con-naître» avec des élèves, il est bon de se connaître soi-même: c'est une vérité vieille comme le monde.

Un autre excellent moyen de se protéger en enseignant, c'est de se faire connaître de ses étudiants: «...et ses brebis le connaissent». Il ne s'agit pas de raconter sa vie durant plusieurs périodes, ni d'imposer la lecture de son journal intime. Pourtant, la relation maître-élèves gagne à ce que ces derniers puissent apprendre, sans trop deviner, les besoins, les attentes, les goûts du maître; lorsque les attentes sont exprimées clairement la plupart des élèves y répondent adéquatement. Par exemple, un besoin fondamental de tous les enseignants est la reconnaissance verbale des étudiants. Plusieurs professeurs attendent jusqu'à la fin de l'année scolaire cette reconnaissance de quelques-uns des plus gentils. D'autres professeurs croient encore au père Noël ou à la fée des Étoiles et attendent cette reconnaissance verbale sans jamais la demander, comme s'il était interdit par règlement de dire en classe: «Aujourd'hui, je suis tendu ou fatigué et j'aimerais me remonter le moral et vous entendre dire ce que vous appréciez de ma manière d'enseigner.»

Se protéger en enseignant vient aussi de la conscience de ne pas être seul à engager des énergies dans l'éducation des enfants, des adolescents ou des jeunes adultes dont on a la charge. Pour chaque élève, pour chaque groupe d'élèves, il y a une longue chaîne d'éducateurs qui vont, chacun selon ses capacités, aider au développement du potentiel. Les enseignants ne sont pas seuls même si, paradoxalement, ils sont la plupart du temps seuls responsables en classe. Prendre conscience que l'enseignement est un processus continu, collectif et communautaire constitue un bon moyen de se protéger du découragement possible face à tel ou tel élève. Ce dernier peut «bloquer» avec un professeur pour mieux se délivrer avec un autre: à charge de revanche!

Se protéger en enseignant implique aussi d'éviter le plus possible les excuses routinières, pour une plus grande honnêteté face à soi-même.

Excuses quotidiennes		Traduction honnête
Je ne suis pas capable	=	Je ne veux pas maintenant
Je vais essayer	=	Vous avez tort de me demander cela
Je n'ai pas le temps	=	Ce n'est pas mon choix
Ce n'est pas ma faute	=	Je ne sais pas comment faire
Ce n'est pas seulement moi	=	Je ne connais pas ma part de responsabilité
Ce n'est pas mon travail	=	Je refuse
Qui, Que, Peut-être, On verra	=	Non
Je suis débordé	=	Je ne sais pas m'organiser
Ce n'est pas mon problème	=	Je ne vois pas de solution
C'est beau mais utopique	=	Je préfère conserver mes problèmes

Remplacer de temps à autre les excuses quotidiennes par leur traduction honnête permet de clarifier nos relations et de mieux identifier nos choix et nos limites. Un professeur honnête commande le respect parce qu'il se protège lui-même sans attaquer ou discréditer les autres. Il peut alors goûter en toute sécurité au... plaisir d'enseigner.

« Je suis à votre service. »

IX

La mode du *burn-out*

Depuis environ une décennie, une nouvelle mode a fait son apparition chez les professionnels: le *burn-out* ou l'épuisement professionnel. Le système scolaire n'est pas en reste avec cette nouvelle vague. Dans certains milieux, les directeurs et les enseignants tombent comme des mouches! L'épuisement professionnel n'est pas une maladie imaginaire ni la nouvelle étiquette sur un vieux problème. L'épuisement professionnel est une difficulté réelle et récente due à des facteurs de stress et d'organisation récemment apparus dans le contexte de travail des professionnels en général, et dans le contexte scolaire en particulier.

Situons d'abord le phénomène du *burn-out* en rapport avec les autres formes d'épuisement. Chaque individu peut vivre des périodes d'épuisement physique lié à une maladie, à un manque de sommeil (à cause de jeunes bébés par exemple), à une absence d'activités physiques ou à une alimentation malsaine. L'épuisement social peut survenir lors d'une situation de chômage, de déménagement, d'incendie. L'épuisement affectif survient à la suite d'un deuil, d'une peine d'amour, d'un divorce. L'épuisement psychologique ou la dépression surviennent dans des situations bloquées aux plans interpersonnel et familial. Quant à l'épuisement professionnel, il se rattache spécifiquement au contexte de travail, même s'il a aussi des répercussions dans tous les autres domaines de la vie d'une personne. Tous les enseignants épuisés ne vivent pas nécessairement un *burn-out*, mais tous ceux qui traversent un *burn-out* éprouvent l'épuisement à tous les niveaux.

Les symptômes de l'épuisement professionnel sont nombreux; ils s'intensifient à mesure que le processus s'accélère. Un professionnel s'enfonçant dans le *burn-out* s'isolera de plus en plus; il se percevra lui-même incompétent et inefficace. Il deviendra incongruent, inconséquent et chroniquement insatisfait, subira le moindre événement, souffrira d'insomnies, d'ulcères, de maux de dos ou de cou. Il abusera de l'alcool, du café ou du tabac. Il s'absentera fréquemment, arrivera en retard et accumulera les tâches remises à plus tard. L'épuisement ne survient pas à l'improviste; le processus se déroule au cours des quelques mois qui conduisent à la phase critique de l'épuisement complet. L'enseignant commence par rêver à de grands projets tout en refusant d'y être confronté. Ensuite, il s'emballe pour les réaliser mais en refusant toute structuration. Une période d'essoufflement vient, au cours de laquelle il évite la coopération. Une étape d'éparpillement suit, où il excuse ses choix; puis, il stagne en refusant de s'évaluer. La grande frustration survient et l'enseignant se referme complètement sur lui-même pour aboutir à l'apathie totale où il refuse tout et devient un cadavre ambulant qui exaspère son entourage.

Ce long processus peut même comporter des périodes de rémission au cours desquelles le professionnel semble remonter la côte mais, s'il n'obtient aucune aide appropriée, il risque de recommencer la première étape de rêve irréaliste et de refaire le même chemin en accéléré.

Plusieurs facteurs peuvent expliquer ce terrible cheminement. Ils sont tous liés au contexte de travail.

Au **niveau organisationnel,** on observe:

1. Des facteurs environnementaux comme:
   des salles mal aérées;
   des salles mal éclairées;
   des horaires impossibles;
   des lieux de travail individuel bruyants ou inexistants;

2. Des facteurs de gestion comme:
   des directives inadéquates ou confuses;
   une supervision harassante ou incompétente;
   un mode d'évaluation exaspérant;
   une accumulation improductive des tâches;

3. Des facteurs liés à la carrière comme:
   les possibilités d'avancement;
   les normes d'engagement;
   la sécurité d'emploi;
   les avantages sociaux.

Au **niveau interpersonnel,** les facteurs de *burn-out* relèvent de phénomènes comme:

la constitution ou les procédures des groupes de tâches;

les modes de reconnaissance et de *feedback* sur le rendement;

les règles et les attitudes de tout le système scolaire en rapport avec la mission, les objectifs et les attentes;

les motivations possibles et les modes de relations acceptables.

En énumérant tous ces facteurs, nous pouvons constater que l'épuisement professionnel pourrait être considéré comme une tare ou une faiblesse personnelle. Il faut plutôt le saisir comme une manifestation individuelle dans un contexte de travail inadéquat. L'enseignant victime de *burn-out* devient le symbole, le symptôme, le témoin privilégié d'une situation insatisfaisante vécue par l'ensemble d'une école ou d'une région scolaire.

Pourquoi tel ou tel professeur réagit-il aussi fortement à un climat de travail malsain alors que ses confrères et consœurs semblent tenir le coup? Parce que dans tout système humain traversant une période de crise, un ou quelques-uns des membres absorbent inconsciemment la fonction de manifester la souffrance pour que les autres puissent se décharger sur eux du stress supplémentaire. Ce stress provient de l'impasse actuelle dans laquelle est plongé tout le système. Ce phénomène est connu sous le nom de rituel du bouc émissaire: l'agneau que l'on tue pour calmer la colère des dieux. Lorsqu'un système humain, une école par exemple, par des changements de règles ou de normes ou de structures, parvient à franchir l'impasse, la fonction de bouc émissaire disparaît, mais la personne qui l'a remplie en a malheureusement souvent déjà payé le prix.

Le *burn-out* indique qu'il existe un problème dans l'ensemble d'un groupe de travail, et la personne qui en est atteinte est souvent celle qui ressent ce problème plus rapidement ou plus vivement que les autres. Éloigner ou exclure cette personne sous prétexte qu'elle incarne le problème n'est pas une solution, car si le contexte de travail qui a mené à cette réaction persiste, un autre bouc émissaire prendra la relève. C'est ainsi qu'on assiste, dans certains milieux, à des congés de maladie en chaîne sans que personne ne réagisse autrement qu'en regrettant les départs et en saluant les retours.

Il existe pourtant des moyens de résoudre efficacement le problème de l'épuisement professionnel, et ces moyens s'appliquent autant à la personne qu'à l'institution impliquées:

1. Protéger toutes les personnes en cause, physiquement et émotivement, par la détente, le repos ou le retrait temporaire. La protection passe aussi par la confiance manifestée ouvertement, par l'humour authentique et par la distinction entre la vie privée et la vie professionnelle.

« Moi, je ne ferai jamais de burn-out. »

2. Identifier clairement la situation personnelle et institutionnelle (les besoins, les vulnérabilités, les succès, les récompenses, les inconvénients).
3. Élargir les points d'appui en demandant conseil et supervision externes, en échangeant en équipe, ou en se joignant à des activités de détente. Ceci permet de recadrer les situations problématiques. (Quand je me regarde, je me désole; quand je me compare, je me console.)
4. Réviser, seul ou avec d'autres, le contexte de travail et les modifications possibles (les objectifs, les exigences, les permissions, les responsabilités, les horaires, les documents, etc.).
5. Changer le contexte du travail par le ressourcement, la reclassification, la restructuration, la réorientation, ou la revendication.

Tous ces moyens supposent que les enseignants disposent, utilisent et vont chercher de l'aide dans le milieu professionnel ou le milieu personnel, un soutien interne et externe au contexte de travail: le syndicat, les comités pédagogiques, les consultants professionnels, les amis.

Enseigner comporte un risque important, et chaque institution comme chaque professeur assume une partie de ce risque. Cependant, seules les personnes peuvent souffrir, pas les institutions. Donner sa vie pour éduquer les humains, c'est bien, mais donner sa mort, c'est idiot. Pas un élève, pas une école n'a besoin ni ne souhaite qu'un maître meure ou s'épuise pour qu'ils apprennent. Tout ce que l'élève et l'école attendent, c'est que les professeurs se donnent et revendiquent ensemble les conditions de travail pour vivre... le plaisir d'enseigner.

X

Paradoxes scolaires

Par essence, un paradoxe soutient en même temps un élément et son contraire; humainement, c'est un fait quotidien. Les humains ne fonctionnent pas de façon logique comme des machines ou des ordinateurs; ils vivent remplis de contradictions, de contraires. Par leur façon d'agir, ils imposent leurs paradoxes aux autres, ce qui explique souvent la confusion et l'ambiguïté des relations. Les humains créent aussi des institutions, dont l'école, et ils les chargent aussi de leurs messages, attentes et règles paradoxaux. Amusons-nous à relever quelques paradoxes du monde scolaire:

— Les étudiants doivent tous apprendre ensemble à devenir différents.

— Punir un élève en l'excluant de l'école où sa présence est légalement exigée jusqu'à seize ans.

— Exprimer ses idées personnelles puisées à même le savoir de l'humanité.

— Interdire aux enseignants d'influencer les jeunes qu'ils doivent éduquer.

— La politique et la sexualité sont des apprentissages majeurs et ils n'ont pas leur place à l'école.

— L'art d'enseigner consiste à créer avec les étudiants une relation assez forte qu'ils puissent se passer de cette relation.

— Les parents qui ne viennent pas aux rencontres scolaires ne sont pas de bons parents puisqu'ils passent leur soirée à s'occuper de leurs enfants.

— Une directrice d'école devrait comprendre que les enseignants ne veulent pas qu'elle dirige.

— Un professeur responsable devrait comprendre que les étudiants ne veulent pas qu'il le soit.

— Le programme du Ministère est seulement un cadre de référence que tous doivent suivre à la lettre.

— Les professeurs aiment les étudiants sans leur dire et ils croient que les étudiants ne les aiment pas parce qu'ils ne leur disent pas qu'ils les aiment.

— Dans une société démocratique, la minorité doit se soumettre.

— Les journées pédagogiques sont des pertes de temps puisqu'elles s'adressent d'abord à des pédagogues aguerris.

— La vie à l'école ne remplace pas l'école de la vie.

— Cet enfant n'est pas intelligent, il passe son temps à déranger toute la classe.

— Il ne faut pas perdre de temps avec les élèves parce qu'ils ont toute la vie devant eux.

— Mémorisez bien ces données car elles sont écrites dans les livres et seront dépassées d'ici dix ans.

— Ne pas savoir que faire avec un étudiant qui veut toujours se faire remarquer.

— Fonctionnez bien dans notre système imparfait, difforme et exécrable, sinon vous serez classés inadaptés.

— L'enseignant honnête doit toujours être en forme même s'il ne l'est pas.

— Un bon professeur connaît toutes les réponses à ses propres questions d'examen.

« Ceux qui font des remarques négatives sont stupides. »

— Mieux vaut rester objectif pour leur apprendre à réfléchir, à se contrôler, à choisir, à analyser, à...

Si, après la lecture de ces quelques paradoxes, vous vous sentez perplexes, confus ou agressifs, votre réaction est des plus naturelles. Lorsque, dans certaines écoles, ou dans une classe, ou dans toute une région scolaire, un ou des paradoxes sont érigés en règle absolue, indiscutable et dont la transgression devient passible d'une punition grave et inconnue, les professeurs et les étudiants réagissent de façon perplexe, confuse, agressive, incohérente, jusqu'à devenir complètement apathiques, ou violents, ou fous.

Les paradoxes sont inévitables dans toute relation humaine, mais on peut les franchir en reconnaissant à tous le droit de parole, de critique ou de contestation. Le danger des paradoxes provient de l'interdit de les mettre en doute ou de passer outre. Dans une école où la négociation et les options sont possibles et où les structures et les rôles sont clairs et flexibles, les paradoxes quotidiens sont perçus avec humour comme des stimulants du... plaisir d'enseigner.

XI

Les préjugés

Lors de journées pédagogiques, j'ai souvent demandé à des enseignants de décrire leurs étudiants dans le cadre d'une tempête d'idées. Tout y passe, des pires défauts aux plus grandes qualités, des problèmes majeurs aux ressources étonnantes; toutefois, un accent est généralement mis sur les défauts et les problèmes. Les étudiants seraient naïfs, irresponsables, n'observant que la loi du moindre effort, passifs, consommateurs, exigeants, mais aussi intelligents, sensés, gentils et j'en passe, des pires et des meilleures. Les premières images qui nous viennent en pensant aux étudiants correspondent à des expériences antérieures réelles que nous avons tendance à globaliser.

Dès le premier contact avec une personne ou un groupe, nous avons tous des impressions sur le type de relations qui seraient possibles et sur le genre de réactions à craindre ou à encourager. Ces impressions se fondent sur nos expériences antérieures avec des personnes ou des groupes qui manifestaient une allure semblable. Ces impressions se réfèrent aussi à nos critères culturels et à notre propre éducation. Toutes ces images, vraies ou fausses, correspondent à des préjugés. Nous avons tous des préjugés et nous ne pouvons pas ne pas en avoir. Nos préjugés nous guident dans les comportements à adopter pour initier et poursuivre des relations.

Lorsque les relations se poursuivent sur un mode relativement ouvert entre le professeur et les étudiants, on assiste à un changement des préjugés de part et d'autre. Ceux-ci deviennent de moins en moins globalisants et de plus en plus individualisés et nuancés. Ce processus peut conduire à une relation d'intimité dans laquelle les préjugés disparaissent pour faire place à l'ouverture et à l'acceptation inconditionnelle.

Le phénomène de la perception par préjugés s'observe aisément dans l'anxiété, le stress et la hâte des premiers jours de classe: la première journée, le premier cours, les premières minutes. Chacun de leur côté, enseignants et élèves se jaugent, se mesurent, se testent. L'allure physique, la tenue vestimentaire, le son de la voix, le nom, le visage, les premiers mots servent de repères pour estimer si la session sera intéressante ou non et avec qui. «Je les connais bien, dira un professeur d'expérience, les jeunes de ce niveau sont... et avec eux il faut...» Il n'est pas rare d'entendre cet énoncé avant même le premier jour de classe. De leur côté, les étudiants diront que tel professeur est... en se référant avec sûreté aux ouï-dire de leurs prédécesseurs.

Les préjugés touchent aussi les matières, les âges, les sexes, les races: «C'est bien connu, les jeunes filles asiatiques sont très fortes en maths», «Évidemment, les plus calés en philosophie sont les jeunes hommes blancs et riches». L'information, l'éducation et l'expérience peuvent modifier ou faire disparaître les préjugés, mais certains sont tenaces lorsqu'ils sont liés à la culture générale ambiante: «L'école privée fournit une meilleure formation que l'école publique», «L'école publique favorise une meilleure socialisation que le secteur privé». Souvent, il existe même des recherches pour appuyer les préjugés alors que n'importe quel scientifique intègre reconnaîtra que les préjugés des chercheurs biaisent leurs travaux.

Pour franchir ses préjugés, un enseignant doit d'abord les reconnaître comme tels. Il pourra ensuite se permettre

« As-tu des préjugés sur tes élèves ? »
« Pas du tout. Ils sont tous très gentils sauf les deux grands niais et la petite énervée. »

avec ses élèves d'ouvrir la relation à d'autres expériences, à d'autres perceptions. Favorisant la connaissance mutuelle dans le respect de l'intégrité de chacun, le maître s'ouvre des voies infinies vers... le plaisir d'enseigner.

XII

Valeurs, morale et éducation

De nombreux enseignants (sauf bien sûr ceux qui lisent ces lignes) nient l'éducation morale ou se refusent à en faire. Ils prétextent ne pas vouloir influencer les étudiants et croient se décharger de cette dimension de l'éducation sur les cours spécifiques concernant la formation personnelle et sociale, la formation morale ou la catéchèse. Pour ces enseignants, tout se passe comme s'il y avait des matières et des cours objectifs, et d'autres subjectifs. Dans ce cadre, ils estiment avoir à transmettre des connaissances, laissant à d'autres le soin de transmettre des valeurs. Ils sont convaincus qu'un professeur peut se désincarner pour établir avec les étudiants une relation strictement informative, sans influence aucune. Ils croient que toute valeur, toute option ou tout jugement qui n'est pas explicitement nommé n'est pas transmis. Cette attitude découle de la pseudo-neutralité pseudo-scientifique qui a laissé croire que la réalité peut être cernée hors du sujet qui l'observe.

Si chacun se réfère à sa propre expérience, il pourra identifier des professeurs qui l'ont influencé un peu, beaucoup, passionnément quant à l'un ou l'autre aspect de sa vie. Nous avons tous imité, confronté, comparé les attitudes de nos enseignants, leurs options de vie, leurs styles, leurs préjugés ou leurs opinions. Nous avons tous observé leur congruence, leur concordance, leur compétence par rapport à leur spécialité, à l'école et à la vie en général. Enfin, nous avons tous plus ou moins créé, à partir de toutes ces influences, notre propre cadre de référence, puisant d'abord dans celui de notre propre famille.

La relation maître-élève (voir schéma 1) n'échappe pas à la dynamique de toute relation d'apprentissage, où les contenus véhiculés explicitement ne concernent qu'un aspect de la relation globale. Or, à travers la globalité de la relation s'insinuent la culture, la morale, l'éthique, les valeurs et les options fondamentales. Chaque apprenti, par ses interactions avec le maître, saisit du savoir-faire, du savoir-penser, mais aussi du savoir-sentir et du savoir-être. Les contenants de la relation et les attitudes du maître et de l'apprenti façonnent les apprentissages de manière déterminante. Les contenus présentés sont perçus à travers les contenants et les attitudes, ceux-ci absorbant la plus grande part de l'énergie investie dans l'apprentissage.

L'éducation morale se réalise surtout implicitement dans toutes les relations de la vie familiale et scolaire. Les cours explicites sur ce sujet permettent d'acquérir le vocabulaire et le cadre d'analyse nécessaires pour identifier et nommer les valeurs, les options fondamentales. Celles-ci sont cependant acquises et intégrées à travers l'expérience de toutes les formes de relations et en particulier à travers les relations clairement reliées à l'apprentissage, comme la relation parent-enfant et la relation maître-élève. L'éducation morale est moins l'apprentissage explicite de certaines valeurs que la valorisation de certaines formes d'apprentissage. Nous assimilons beaucoup plus profondément les critères de bien et de mal lorsque nous les expérimentons dans des relations très signifiantes. Les discours sur le bien et le mal demeurent superficiels pour chacun de nous.

SCHÉMA 1

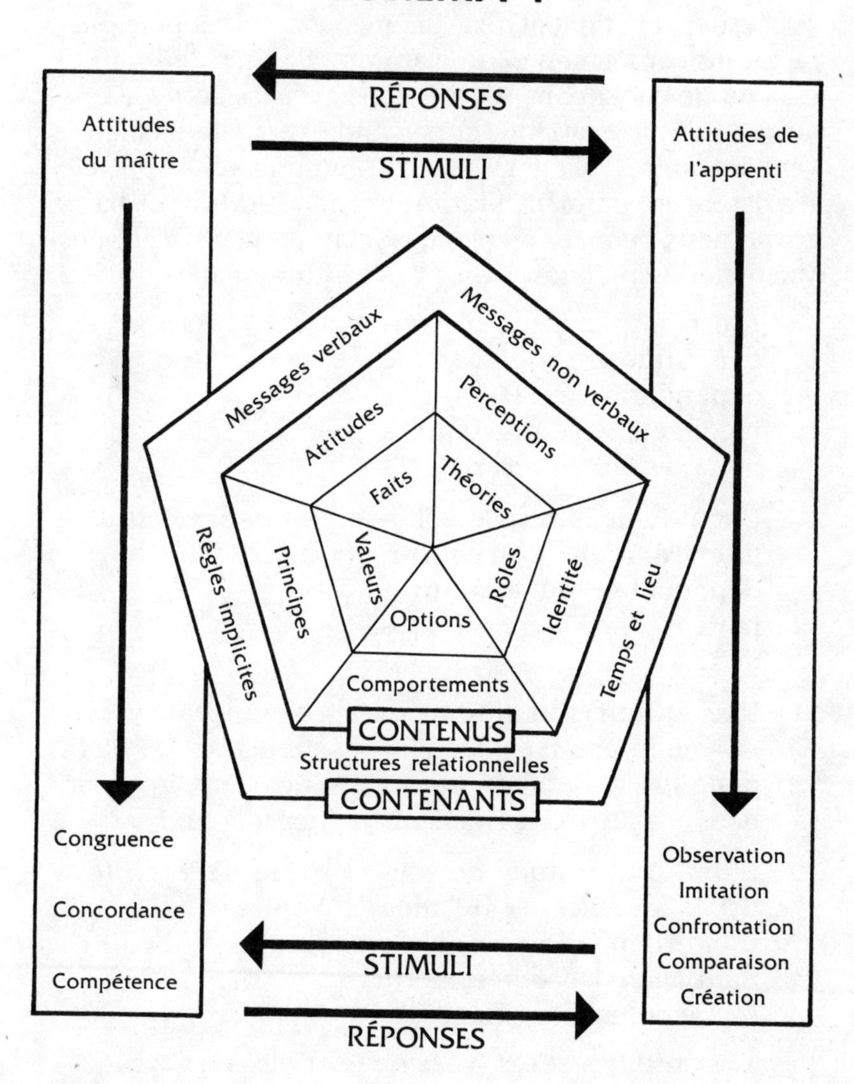
RÉPONSES
STIMULI
Attitudes du maître
Attitudes de l'apprenti
Messages verbaux
Messages non verbaux
Attitudes
Perceptions
Faits
Théories
Valeurs
Rôles
Principes
Identité
Options
Règles implicites
Temps et lieu
Comportements
CONTENUS
Structures relationnelles
CONTENANTS
Congruence
Concordance
Compétence
Observation
Imitation
Confrontation
Comparaison
Création
STIMULI
RÉPONSES

L'éducation morale est un processus continu qui s'étend à toutes les phases de la vie (voir schéma 2). Chaque être humain franchit des étapes de vie où il tente d'établir avec les autres des relations lui permettant de répondre à ses besoins fondamentaux. Chaque personne adopte plus ou moins consciemment une attitude de base de soumission ou de choix dans ses relations avec les autres. Cette attitude de base oriente la personne vers elle-même ou vers les autres. La famille, la communauté, la société réagissent en complémentarité avec notre attitude de base, ce qui nous permet de vivre des relations confirmant nos valeurs et de répondre à nos besoins du moment.

Ainsi, une attitude d'abandon initie une relation de dépendance où les autres répondent avec puissance à notre besoin de sécurité.	Olive et Popeye
Une attitude de révolte établit une relation de contre-dépendance où les autres nous reconnaissent en nous défiant.	Robin des Bois et le shérif
Une attitude d'indifférence provoque une relation d'indépendance où les autres nous acceptent en se méfiant.	Le nouveau voisin silencieux et solitaire dans un quartier très actif
Enfin, une attitude de solidarité stimule une relation d'interdépendance où la famille et la communauté coopèrent avec confiance.	Mère Teresa, Jean Vanier

Ces attitudes et ces types de relations sont cycliques même si l'une domine les autres durant des étapes de notre vie. Chacune de ces phases sous-tend des valeurs, des options morales. Le défi de tout éducateur consiste à permettre à chaque apprenti de franchir ces phases en

SCHÉMA 2

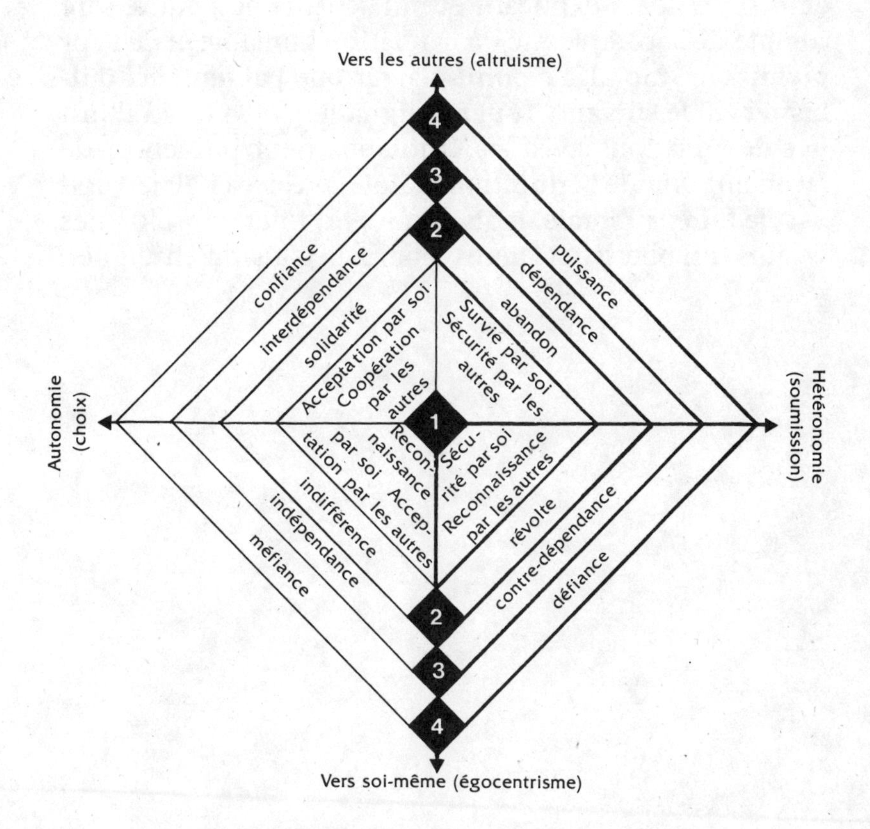

NIVEAUX

1. Attitudes de
2. Types de réponses aux besoins fondamentaux
3. Positions de base dans les relations
4. Réactions suscitées chez les autres

modifiant la réaction attendue (voir schéma 1, niveau 4) pour favoriser une autre forme de réponse aux besoins fondamentaux (voir schéma 1, niveau 1). Par exemple, un professeur peut répondre par un sourire bienveillant à une provocation verbale d'un étudiant.

Évidemment, nul ne peut enfermer la vie humaine dans un schéma explicatif et nul schéma ne peut rendre compte de la complexité de la relation humaine et de l'apprentissage moral. Le point majeur que j'ai tenté ici d'illustrer est le suivant: Tout enseignant, par sa façon d'initier des relations avec les étudiants, peut influencer de façon importante l'éducation morale de ceux-ci. Il ne s'agit pas de faire la morale, mais d'agir et d'interagir selon des valeurs qui nous sont chères, pour... le plaisir d'enseigner.

« Je suis une enseignante objective, j'enseigne un programme objectif de façon objective avec des objectifs précis qui permettent une évaluation objective. Tous ceux qui ne sont pas d'accord avec moi sont subjectifs. »

XIII

La fameuse motivation

Motivé, démotivé, à remotiver, motivation difficile, en perte de motivation: cette série de qualificatifs courants, supposément compris par tous, cache pourtant un monde nébuleux, ténébreux. La motivation peut servir de passe-partout pour expliquer différents phénomènes de réussite ou d'échec scolaire. Mise en parallèle avec d'autres concepts tout aussi difficiles à cerner, la motivation ouvre les portes d'un labyrinthe infernal: L'individu est intelligent ou niais et motivé, courageux et motivé, déconcentré et démotivé, impatient et démotivé, etc.

La motivation peut être considérée à juste titre comme une des grandes bêtes noires du monde de l'éducation. Conserver l'intérêt de trente élèves durant un semestre avec des contenus exigeants et quelquefois arides relève presque de la magie. Nourrir sa propre motivation comme enseignant tient parfois de l'ascétisme ou de l'illuminisme pur. Comment motiver, susciter l'intérêt ou redonner de l'énergie? Comment encourager le travail, l'effort, la curiosité, la recherche et l'exercice constant? Comment aider à surmonter le découragement, l'échec, la routine, l'incompréhension? Comment éviter la dispersion, la consommation futile, la fatigue et la langueur?

Chaque théorie psychologique propose un cadre différent pour saisir la dynamique de la motivation. Même si la motivation ne s'observe que dans ses résultats, nous pouvons considérer la définition que chaque courant théorique en fournit comme un concept servant une des nombreuses dimensions de ce phénomène, concept qui trouve son utilité dans les approches pédagogiques qu'il suggère.

Certains considèrent la motivation comme étant la résultante de pulsions inconscientes et d'exigences imposées auxquelles chaque individu tente de répondre. En suivant cette théorie, un enseignant tentera de canaliser les pulsions des jeunes en offrant des structures d'apprentissage très claires et très ouvertes. En même temps, il permettra une analyse critique consciente des exigences externes afin que chaque élève puisse franchir les obstacles qui nuisent à son énergie créatrice.

Un autre courant psychologique considère la motivation comme l'intérêt inné chez chaque personne à acquérir les habiletés propres à l'étape de croissance physique, émotive, intellectuelle et sociale qu'elle vient d'atteindre. Dans ce cadre théorique, l'enseignant doit identifier l'étape de croissance, connaître les habiletés visées et offrir un contexte d'expériences permettant l'acquisition de ces habiletés.

La motivation se définirait aussi comme la réponse à des stimuli positifs et négatifs liés à un comportement à avoir. Le professeur qui s'inspire de cette définition développera des récompenses et des punitions en fonction des tâches qu'il veut voir accomplir par ses étudiants. Si ceux-ci ne sont pas motivés, le professeur devra réviser ses carottes et ses bâtons.

Une autre tendance psychologique fait appel à la rationalité pour cerner la motivation. Si un individu saisit réellement les tenants et les aboutissants d'un apprentissage, il y investira l'énergie nécessaire. Il s'agit que l'enseignant explique bien les objectifs et les utilités de chaque apprentissage pour que les étudiants s'y investissent.

Un courant met l'accent sur la communication et voit dans la motivation la résultante de messages clairs comportant de la reconnaissance, des encouragements, des permissions d'apprentissage et des informations directes. L'enseignant utilisera ce type de message dans sa communication avec ses élèves qui, à leur tour, répondront par l'attention, la créativité, l'effort et la connaissance.

La motivation s'explique aussi par l'attention centrée ici et maintenant sur une expérience signifiante par rapport au contexte global actuel d'une personne. Se référant à cette théorie, l'enseignant se charge d'attirer l'attention des étudiants par des moyens directs et intrigants qui symbolisent l'ensemble d'un apprentissage: «Captez l'attention sur un point et l'élève saisira le tout.»

Une autre école de pensée situe la motivation au sein des relations signifiantes vécues par chaque personne. Celle-ci agira de façon motivée lorsque les apprentissages proposés correspondront aux besoins et aux attentes du système de relations dans lequel elle vit. S'inspirant de cette école, l'enseignant sera très attentif aux types de relations établies dans sa classe et collaborera efficacement avec les parents des élèves à motiver.

Une dernière théorie place la dynamique de la motivation en rapport avec le contexte socioculturel de chacun. Si le milieu, la classe sociale, le niveau économique, le contexte physique ou la sous-culture permettent ou suggèrent ou exigent tel apprentissage, l'étudiant le fera. Le professeur tentera de modifier les références socioculturelles ou les éléments concrets du milieu qui pourraient nuire aux apprentissages pour stimuler ses étudiants.

Après ce survol des différentes avenues de la motivation, il devient évident qu'un enseignant dispose d'un large éventail de moyens, de ressources et d'options permettant d'encourager les étudiants. Il est aussi indéniable que la dynamique de la motivation comportant tellement de facettes et de facteurs, aucun professeur ne peut à coup sûr éveiller et animer tous ses étudiants. Même la formule «Un professeur motivé entraîne la motivation des étudiants» reste incertaine; cela n'empêche pas de l'appliquer pourtant. Un enseignant ne peut se reprocher de ne pas réussir à motiver un élève, mais on peut lui reprocher de ne plus essayer. Viser la motivation c'est travailler sur l'âme humaine sans repère fixe, sans conclusion sûre, mais lorsque l'énergie et l'élan apparaissent dans les yeux d'un élève, on savoure... le plaisir d'enseigner.

« Je n'arrive plus à les motiver... »

XIV

École, famille ou médias, qui éduque?

«Tout se joue avant six ans»; «La télévision influence dramatiquement les jeunes»; «L'école n'arrive plus à instruire, encore moins à éduquer». Ces phrases illustrent-elles des jugements rapides et sévères ou des manifestations d'angoisse et de confusion quant aux formes d'apprentissage offertes à nos enfants? Qui éduque vraiment? Qui fournit la structure de base à partir de laquelle nos enfants construiront leur propre vie? Qui, de l'école, de la famille ou des médias, marquera fortement ces jeunes sensibilités, ces intelligences vierges? Les enseignants sont-ils des pions que l'on peut facilement remplacer par des écrans et des caméras? Les parents sont-ils d'éternels incompétents qui se déchargent de leurs responsabilités sur l'école? Les médias sont-ils des sorciers puissants qu'il faut contrer avant qu'ils n'entraînent nos jeunes à la violence, au libertinage et à la consommation à outrance?

La famille est d'abord, surtout et avant tout le lieu premier de l'éducation, premier quant au temps, quant à l'ampleur et quant à l'importance des acquisitions que chacun y fait. Les parents, volontairement ou non, consciemment ou non, présents ou absents, orientent de façon majeure les apprentissages, les croyances, les formes d'intelligence, les valeurs et les talents, les centres d'intérêt de leurs enfants. La relation parents-enfant constitue le cadre de référence le plus important de l'éducation, de notre naissance jusqu'à notre mort.

Peu importe la structure ou le type d'une famille, peu importe le cadre légal ou physique d'une famille, celle-ci assume toujours, de façon adéquate ou non, les rôles suivants:

— Survie et protection des individus;
— Lieu d'appartenance et d'identification primaire;
— Lieu premier d'apprentissage de la culture, des croyances et des formes relationnelles;
— Lieu premier d'intégration communautaire et sociale;
— Lieu premier de l'affectivité;
— Lieu premier de fécondité et de créativité.

Dans l'éducation, la dynamique familiale demeure incontournable. Chaque enfant, chaque adolescent, chaque adulte apprend et apprend à apprendre en fonction des liens tissés avec ses proches. «Nul n'est une île.» C'est d'abord dans ma famille que je découvre et que je redécouvre qui je suis. C'est dans ma famille que j'apprends et que je réapprends comment vivre avec les autres.

À l'inverse, il ne faut pas imputer aux parents tous les échecs, les malheurs et les réussites de leurs enfants. Le parent émet, mais l'enfant décode. Dans une même famille, chaque enfant emmagasine de façon différente l'attitude des parents. De plus, tous les parents du monde ne réussissent pas parfaitement à offrir à leurs enfants tout le «parentage» dont ils ont besoin. Tous les parents sont imparfaits, et tous les enfants aussi puisque aucun d'entre eux ne peut assimiler l'ensemble du bagage offert par ses parents. Alors, la famille constitue le premier lieu d'éducation. Heureusement pour les parents comme pour les enfants, la famille n'est pas le seul lieu d'éducation.

Nous pouvons considérer l'école comme le second lieu d'éducation dans notre système socioculturel, l'école étant ici entendue au sens large, de la garderie jusqu'à la formation postuniversitaire et aux cours populaires pour adultes. La structure scolaire en elle-même, de par son organisation, ses objectifs, ses exigences, ses attentes et ses règles, propage des éléments majeurs de l'éducation. Le fait même de participer à cette structure scolaire permet à chaque personne de faire des apprentissages importants pour sa vie et sa survie. Qu'il suffise de mentionner ici l'intégration à des structures horaires, la compréhension de règles de groupe, l'expérience de l'évaluation, la découverte de savoirs extérieurs en contradiction avec ceux de sa famille. La structure scolaire devient aussi, à la suite et en complément à la famille, un lieu d'appartenance, d'apprentissage, d'intégration sociale, d'affectivité et de créativité.

À l'intérieur du cadre scolaire, les enseignants assument la plus large part de cette dynamique de l'éducation. La relation professeurs-étudiants anime, personnifie et amplifie le rôle éducatif de l'école. Dans certaines situations, un enseignant se voit même suppléer ou compléter un rôle parental en remplissant explicitement ou implicitement la fonction de tuteur. Chaque enseignant, de par sa collaboration personnelle et qualifiée au système scolaire, participe de façon essentielle au contexte éducatif de l'école. Cependant, un professeur ne couvre pas à lui seul la mission d'éducation confiée par notre société à l'école et en ce sens il n'y a pas adéquation parfaite entre enseignant et éducateur. L'école a mission d'éducation et à l'intérieur de cette mission le professeur a d'abord mission d'enseignement, c'est-à-dire de transmettre des connaissances. Par ailleurs, l'école ne peut éduquer qu'avec la participation des enseignants.

Symboles des temps modernes, les médias écrits et électroniques semblent aussi prendre part de façon croissante à l'éducation. Leur omniprésence donne l'impression que leur influence sur la croissance et les apprentissages des jeunes est très grande. Certains vont même jusqu'à croire que les médias imposent des comportements, des valeurs ou des options qui contrecarrent l'éducation familiale ou scolaire. Les vidéos violents, les revues pornographiques, les jeux vidéo stupides et répétitifs, les bandes dessinées débilitantes, les émissions de télévision niaises et remplies de commandites, les petits romans faciles, à l'eau de rose et mal écrits, toutes ces manifestations médiatiques nous font craindre pour la santé mentale et morale de nos jeunes.

À mon avis, nous ne pouvons considérer les médias comme agents de l'éducation. Ils transmettent des messages qui peuvent influer sur nos attitudes et nos comportements, mais ils sont d'abord des moyens, des contenants bien plus que des contenus. Notre façon de les utiliser importe beaucoup plus que les messages qu'ils émettent. Avec la télévision, par exemple, l'importance éducative revient d'abord aux questions suivantes: Qui la regarde? Avec qui? Contre qui ou en présence de qui? Quand la télévision est-elle en fonction? Toujours? Le matin? Le soir? Quelqu'un choisit-il ou pas les émissions? Pourquoi regarder la télévision? Pour oublier les autres? Pour se divertir? Pour briser son isolement? Pour s'informer ou pour être avec d'autres personnes qui la regardent aussi? Les mêmes questions se posent pour la musique, les livres et la radio!

Les personnes ne se laissent pas bêtement influencer par les médias; elles y puisent les références nécessaires pour s'adapter aux attentes de leur milieu. Par exemple, un enfant vivant au sein d'une famille où la violence est bannie n'aura que dégoût ou répulsion pour les scènes violentes à la télévision. Autre exemple, un adolescent soumis à des interdits sexuels importants raffolera de livres pornographiques. «Le médium est le message.» Les médias sont des moyens, et notre façon de nous en servir devient un facteur d'éducation. Les médias par eux-mêmes n'éduquent pas même si on ose parler de «télévision éducative». Les médias enseignent, renseignent, divertissent, mais n'éduquent pas par eux-mêmes.

« Chers étudiants, j'ai choisi aujourd'hui de vous éduquer. »

Qui éduque? La famille et les parents d'abord, surtout et avant tout; l'école ensuite comme lieu, occasion, cadre, structure, système d'éducation; et dans l'école, les enseignants qui transmettent, nuancent et personnalisent l'éducation scolaire. La famille et l'école utilisent les médias comme moyens de renforcer le cadre éducatif qui leur est propre. Chaque enseignant a donc un rôle important à jouer dans l'éducation: il est nécessaire sans être indispensable, il est actif tout en demeurant observateur, il participe à l'éducation en profondeur sans toutefois la déterminer. Chaînon souvent anonyme de l'aventure de l'éducation, aussi bien développer... le plaisir d'enseigner.

XV

La relation d'aide

«Je ne comprends plus»; «J'en ai marre de l'école»; «Je ne veux plus être dans ce groupe»; «Fichez-moi la paix»; «Je ne dors plus, tellement cet examen m'inquiète».

Quotidiennement des étudiants ont besoin d'aide, les uns pour saisir un élément de la matière, les autres pour s'adapter au contexte de la classe, d'autres encore parce qu'ils vivent une crise personnelle ou familiale. Les enseignants militent en première ligne; ils sont souvent les premiers témoins de la peur, de l'angoisse, du désarroi des étudiants; il en subissent aussi les effets: agressivité, mutisme, clowneries. Souvent les étudiants demandent explicitement de l'aide, mais il arrive aussi qu'ils manifestent juste assez leur difficulté pour nous donner l'occasion de leur offrir notre aide. La relation d'aide s'exerce donc fréquemment à l'école. Sous quels paramètres cette relation d'aide peut-elle être fructueuse?

Pour que s'instaure une véritable relation d'aide, l'offre et/ou la demande doivent être clairement exprimées et acceptées, sinon le risque est grand de s'épuiser ou de s'exaspérer devant la résistance d'un élève en difficulté. Certaines personnes cherchent à souffrir beaucoup ou longtemps avant de s'estimer mûres pour un changement. Les fumeurs invétérés en sont un excellent exemple.

L'enseignant qui aide devrait se centrer sur la personne de l'étudiant en difficulté et non sur la difficulté elle-même. L'attention à la personne offre plus de possibilités d'aide que la recherche directe d'une solution au problème (voir schéma 3). Grandes ou petites selon notre point de vue, les difficultés sont réelles pour l'étudiant. Il ne s'agit pas de comparer ou de juger de l'ampleur du problème. Le témoignage de notre propre expérience («Quand j'avais ton âge...») ou les conseils sympathiques («Si j'étais à ta place...») n'apportent pas beaucoup et provoquent souvent dénégation, discussion stérile et distance. Si l'enseignant se rend attentif à l'élève, à ses réactions, à sa façon de parler de lui et de ceux qui l'entourent, l'aide fournie sera stimulante et favorisera chez l'étudiant la découverte de ses propres solutions.

Aider implique la capacité d'écouter avec ses yeux le langage non verbal de l'autre et le talent de voir avec ses oreilles le monde relationnel de l'étudiant. L'enseignant aide en posant des questions qui permettent à l'étudiant d'élargir le cadre de sa difficulté: un problème sans solution est un problème mal posé. Pour l'aidant, l'intérêt n'est pas dans le contenu des réponses mais dans leur contenant émotif, social, relationnel ou culturel. L'écoute et le regard intelligents et sympathiques font plus et plus vite que les recettes et les directives. Les silences modulent la relation d'aide et permettent à l'étudiant de prendre le temps nécessaire pour chercher et trouver comment se dire.

Souvent les enseignants diront qu'ils n'ont pas le temps d'aider les élèves. Or, si un enseignant occupé calculait combien d'heures et d'énergie il consacre chaque année aux étudiants qu'il n'a pas le temps d'aider, il choisirait sûrement de prendre quelques minutes pour les écouter. Un petit problème non réglé devient une grosse maladie envahissante.

Une relation d'aide peut durer quelques secondes ou quelques minutes et se réaliser autant en classe que dans le corridor ou dans le bureau du professeur. Il ne s'agit

SCHÉMA 3

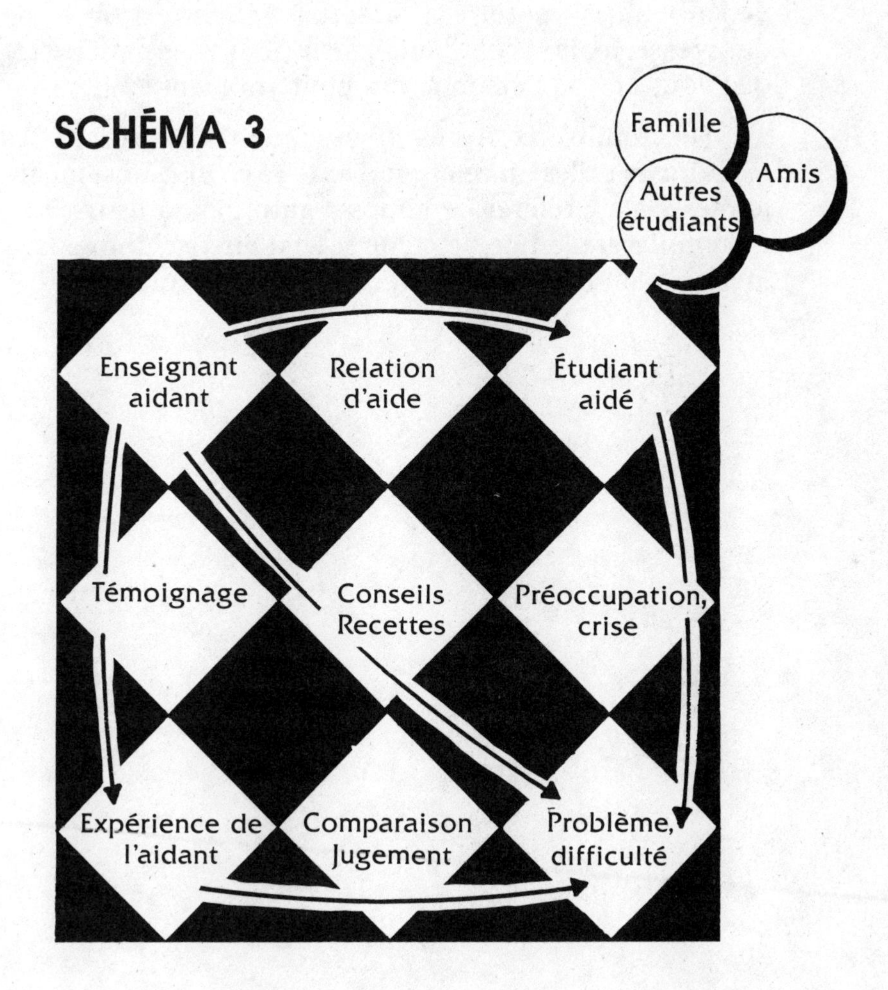
Famille
Amis
Autres étudiants
Enseignant aidant
Relation d'aide
Étudiant aidé
Témoignage
Conseils
Recettes
Préoccupation, crise
Expérience de l'aidant
Comparaison
Jugement
Problème, difficulté

pas d'entreprendre une thérapie en règle, mais bien de signifier clairement à un élève qu'il n'est pas seul lorsqu'il cherche des repères. Si un étudiant présente une difficulté qui déroute, intimide ou impressionne un enseignant, ce dernier référera habilement l'étudiant à un professionnel de l'aide ou à un autre professeur. Référer est un signe de sagesse, mais si l'étudiant insiste pour vous parler, c'est que vous êtes la personne qui peut vraiment l'aider.

De nombreux livres et documents élaborent les techniques utiles en relation d'aide et chaque enseignant a intérêt à s'y référer de temps à autre. Par ailleurs, rien ne remplacera la tête, le cœur et l'expérience d'un enseignant, à condition qu'il vive... le plaisir d'enseigner.

« Je ne peux prendre le temps de t'aider; nous sommes trop en retard sur la matière prévue au programme. »

XVI

Aider par le groupe

Un vieux truc d'enseignant consiste à placer et à déplacer les étudiants dans une classe selon les caractères et les comportements. On invitera souvent le plus turbulent à s'asseoir près du maître; on séparera les complices; on indiquera les places arrière aux plus grands; on éloignera les rêveurs de la fenêtre. Ce truc ancien opère toujours, à condition de tenir compte de la dynamique que le déplacement d'un seul élève entraîne dans toute la classe. Un groupe possède une vie propre plus large que la somme des individus qui le composent.

Entre un professeur et un élève, il y a quatre relations possibles: ce que le professeur émet et ce qu'il reçoit, ce que l'élève émet et ce qu'il reçoit. Entre le professeur et deux élèves, il y a au moins trente-six relations possibles puisque, en plus des quatre relations de base que je viens de décrire, existent toutes les relations d'observation des interactions où chacun est ou non impliqué. Dans une classe avec un professeur et une vingtaine d'élèves, il y a des centaines de millions de relations possibles. Aucun spécialiste ne peut gérer adéquatement et prévoir l'impact d'une modification dans l'ensemble d'un système aussi complexe. Par ailleurs, nous pouvons identifier certaines constantes qui permettent d'utiliser la dynamique d'un groupe pour aider des individus.

Un premier phénomène de groupe concerne l'utilisation de règles de fonctionnement par le professeur pour aider chaque élève à bien s'intégrer à la classe. Les règles de fonctionnement facilitent pour chacun des membres d'une classe son implication active et coopérante dans des processus fort complexes. Avec des règles claires, chaque élève saura, par exemple: comment s'y prendre lorsque le comportement d'un autre l'incommode; comment demander des clarifications lorsque la matière devient nébuleuse; comment évacuer un trop-plein de stress dans le groupe; comment réveiller l'intérêt de tous les élèves ou du professeur durant une période particulièrement amorphe. Le contrôle de ces règles revient au professeur, qui indique par ses comportements et ses suggestions ouvertes les processus qu'il encourage et ceux qu'il rejette. Plus le professeur énoncera clairement les règles de fonctionnement, plus chaque élève possédera la sécurité nécessaire pour vivre la dynamique du groupe.

Un second phénomène de groupe concerne les marques de reconnaissance possibles. De quelle manière chacun est-il reconnu dans cette classe? Par les résultats aux examens? Par la façon de poser des questions ou d'y répondre? Par les surnoms affectueux ou ridicules? Par le degré de soumission ou de rébellion aux règlements? Par les contacts physiques? Par des jugements ou des étiquettes moralisantes? Par des appréciations claires et positives des comportements? Par des phrases directes, ouvertes, affectueuses? Les modes de reconnaissance, initiés la plupart du temps par l'enseignant, réalisent une large portion du climat d'un groupe. Un climat sain aide chaque élève à évoluer à l'intérieur du groupe sans que le professeur lui porte une attention particulière.

Le rythme du groupe apparaît aussi comme phénomène aidant pour les individus: «Une chaîne n'est pas plus forte que le plus faible de ses maillons.» Lors d'une expédition, un groupe n'avance pas plus vite que le plus lent de ses membres. Dans une classe, le groupe ne

« Voilà !... Maintenant, communiquons. »

comprend pas plus vite que celui qui saisit le dernier. Si un étudiant sur trente manifeste son incompréhension, ou son manque d'intérêt, ou sa contestation d'un élément de la matière exposée, il y a quatre-vingt-dix-neuf chances sur cent que d'autres étudiants occupent la même position sans la manifester. Le rythme d'un groupe a prépondérance sur le rythme de chacun des individus qui le composent. Un enseignant qui veut aider tous ses étudiants ne perd jamais son temps lorsqu'il prend le temps de perdre son temps avec un étudiant qui ne comprend pas à temps. Les comportements de chaque étudiant dans une classe ne peuvent être isolés de la dynamique de l'ensemble.

Bien que de nombreux autres phénomènes de groupe pourraient aussi être présentés, j'en signalerai ici un dernier: la structure du groupe. Les débats sur la formation de groupes homogènes ou hétérogènes dans le système d'éducation refont surface régulièrement. Placer ensemble des élèves de mêmes capacités et de mêmes talents permet sans doute d'offrir des apprentissages adaptés à tout le groupe. Par ailleurs, regrouper des élèves ayant des aptitudes très variées permet d'offrir une gamme d'apprentissages eux aussi très variés. La tentative actuelle de rendre les groupes scolaires le plus homogènes possible me semble relever de notre manie culturelle de vouloir épargner du temps et de l'énergie sans tenir compte des conséquences de cette attitude. À mon avis, la course contre la montre vers une productivité accrue appauvrit le monde scolaire en exorcisant la diversité et la complémentarité des êtres humains qui le composent.

Un enseignant agit d'abord en animateur; il est l'âme d'un groupe et chaque élève puise à même le groupe les éléments nécessaires à sa propre croissance. Les exemples sont légion d'étudiants qui ont franchi des difficultés importantes dans leur vie personnelle en participant à une classe où le professeur incarnait... le plaisir d'enseigner.

XVII

Le cas

Tous les étudiants rencontrent des difficultés à un moment ou l'autre de leur carrière scolaire, mais certains se spécialisent à titre de cauchemars pour les enseignants. Ces cas perturbent les groupes auxquels ils appartiennent et deviennent l'occasion de maux de tête ou d'estomac pour leurs professeurs. Non seulement ces élèves délinquants par rapport au système scolaire siphonnent-ils les énergies de leurs enseignants, mais ils réussissent aussi souvent à accaparer en même temps la direction et le personnel technique. Certains cas font carrière, chaque professeur plaignant celui ou celle de ses confrères qui en écopera. Quelques-uns de ces carriéristes vont même contribuer à la vie de plusieurs écoles, pariant sur le moment de leur exclusion.

Ces cas reçoivent plusieurs étiquettes psychosociales au cours de leur carrière: niais, agressifs, irresponsables, etc. Chaque intervenant scolaire aura son interprétation des comportements inacceptables de ces élèves, mais finalement rares sont ceux qui en viendront à bout, qui réussiront à les remettre sur le droit chemin. Les interprétations ou les étiquettes que l'on colle à ces moutons noirs décrivent souvent l'envers du phénomène. En voici quelques exemples:

— Un garçon de dix ans a été traité de niais alors qu'il réussissait chaque année à préoccuper de façon urgente pendant des mois une armée formée d'enseignants, de directeurs, de professionnels non enseignants, de médecins et de policiers. Il avait sûrement une intelligence hors du commun pour polariser tout ce beau monde.

— Une fille de quatorze ans n'arrivait pas, semble-t-il, à se concentrer, alors qu'elle pensait constamment à la maladie de sa mère de façon très concentrée.

— Un élève de huit ans qualifié d'irresponsable se retrouvait seul à la maison après l'école et préparait lui-même ses repas.

— Une fille taxée de comportements agressifs irraisonnés à l'école était violentée presque tous les soirs à la maison.

— Un adolescent classé perturbateur à cause de ses pitreries à temps et à contretemps étudiait dans des classes sans fenêtres durant toute la semaine.

Les cas occupent souvent la fonction de baromètre pour tout un groupe. Ils réagissent plus rapidement ou plus ouvertement que les autres aux tensions, au stress et aux malaises vécus par tous. Ils manifestent, de façon très inadéquate mais à des moments fort appropriés, les lenteurs et les difficultés d'une classe. Il arrive aussi que ces cas soient les porte-étendard de difficultés familiales, l'école étant le lieu leur permettant d'exprimer les peurs et les angoisses qu'ils emmagasinent au foyer. Quelles que soient les situations, rien ne sert d'essayer de comprendre leurs attitudes de façon isolée. C'est dans les relations qu'ils entretiennent avec les autres que les moutons noirs peuvent être approchés et aidés.

Une des relations signifiantes et souvent révélatrices qu'entretient le cas se situe entre lui et son professeur. La plupart du temps, l'élève qui nous tombe sur les nerfs, qui nous exaspère à sa moindre apparition réussit à rejoindre nos propres limites, nos peurs, nos difficultés ou nos angoisses les plus profondes. Le ou la mouton(ne) noir(e) réveille chez l'enseignant, sans que ni l'un ni l'autre n'en soit vraiment conscient, ses préoccupations personnelles, ses insatisfactions ou ses attentes cachées. Le cas rend service au professeur en lui rappelant constamment sa propre humanité. Chaque enseignant n'a pas à se transformer en psychologue ou en travailleur social pour reconnaître que les étudiants difficiles l'invitent à mieux vivre lui-même ses forces et ses faiblesses.

Plusieurs diront que les comportements perturbateurs ne visent qu'à attirer l'attention. Ils ont raison. Toute personne a besoin d'attention et toutes sont prêtes à bien des souffrances pour en obtenir. Les cas veulent se faire remarquer, évidemment. Le problème n'est pas de leur offrir ou pas notre attention, mais bien de trouver sous quelle forme la leur offrir. Voici un exemple:

Un garçon de treize ans faisait sans arrêt des commentaires hors de propos en classe et tous ses enseignants avaient depuis longtemps franchi l'étape de l'humour, tant et si bien que chaque enseignant avait décidé de ne plus lui accorder d'attention. Les comportements du jeune garçon s'accentuèrent au point où il se rendait dans d'autres classes aux heures de cours. Il voulait se faire remarquer, et il s'y employait de façon très efficace. Après en avoir discuté ensemble, les professeurs décidèrent d'appeler ce garçon «Monsieur», alors qu'ils utilisaient le prénom ou le tutoiement pour tous les autres élèves. Après quelques jours de ce traitement d'attention spéciale, le cas disparut dans la foule des élèves adaptés.

Cet exemple ne doit pas servir de recette; chaque situation demande de la créativité. L'important réside dans la manière d'offrir des marques d'attention positive à des étudiants qui en réclament sans arrêt. De toute façon, un cas auquel on ne consacre pas quelque temps et quelque créativité grugera presque toutes nos énergies. Même l'exclusion ne règle rien puisque le souvenir de l'étudiant récalcitrant hante notre expérience et qu'il recommencera ailleurs ce qu'il n'a pu modifier ou terminer avec nous.

En s'y attardant un peu, avec des collègues si nécessaire, un professeur peut très bien offrir une aide appropriée au cas, à la condition de pratiquer le judo plutôt que le karaté. L'attitude karaté vise à contrer les forces de l'adversaire et à les lui faire subir. L'attitude judo utilise les forces et le mouvement de l'adversaire pour l'amener à vous respecter. Un professeur qui veut casser ou mettre au pas un étudiant est un adepte du karaté. Un professeur qui veut suivre les élans étranges d'un étudiant pour leur donner un sens de vie est un adepte du judo.

Même un judoka expérimenté ne peut venir à bout de tous les cas. C'est pourquoi il travaillera de concert avec le travailleur social ou le psychologue scolaire. Et encore! Les cas fournissent le piment de la vie scolaire. Ils se posent en défi pour toute notre société: trouver des moyens de les reconnaître sans s'épuiser ou les exclure jusqu'à la prison ou l'hôpital psychiatrique. Les enseignants sont les fantassins de la première ligne de cette bataille sociale et chacune de leurs victoires (il y en a beaucoup) stimule... le plaisir d'enseigner.

« Tu m'exaspères avec ton air hirsute ! »

XVIII

Les situations de violence

La violence est un phénomène fréquent dans nos écoles et polyvalentes, et plusieurs enseignants s'exposent à des relations violentes entre les étudiants et avec eux-mêmes. La violence peut se définir comme l'exercice volontaire d'une force physique ou morale, avec l'intention de porter atteinte à l'intégrité d'une personne ou de causer une souffrance ou des dommages à des personnes ou à des biens. Le rejet de toute violence physique apparaît comme une réaction nouvelle dans notre société. Il n'y a pas si longtemps, les punitions physiques, les coups, faisaient partie de l'arsenal pédagogique; des parents et des professeurs frappaient les enfants pour obtenir leur soumission. En deux décennies à peine, non seulement cette attitude a-t-elle été réprouvée, mais notre société la considère maintenant comme un crime passible d'emprisonnement. Ce changement opère un tournant à cent quatre-vingts degrés dans les mentalités, mais il n'est pas encore intégré au niveau des comportements.

Actuellement, la violence la plus fréquente se retrouve au sein même des familles et cela dans toutes les classes sociales. Plus de la moitié des enfants font l'objet de punitions physiques sévères; plus d'enfants que d'adultes sont battus; plus de femmes que d'hommes aussi. Au niveau scolaire, la violence physique des enseignants envers les élèves est maintenant un phénomène marginal, mais la violence morale est encore très répandue. Dans ce contexte familial et scolaire, il n'est donc pas surprenant de retrouver un niveau très élevé de violence physique et morale entre les étudiants eux-mêmes.

Plusieurs facteurs augmentent le risque d'expressions violentes:

1. L'expérience de la violence dans les relations familiales, au travail (conditions physiques ou psychologiques), dans le milieu physique (surpeuplement, promiscuité). Les écoles et les classes bondées deviennent rapidement un terrain propice à la violence.
2. Les menaces et les privations extérieures qui franchissent la limite des capacités d'adaptation provoquent des situations de crise où la violence risque d'exploser. À une époque de compressions budgétaires et de conditions de travail fixées par décrets, la violence gagne du terrain.
3. Un carcan d'interdits empêchant toute évasion de l'intolérable entraîne une agressivité qui explosera sur le premier venu! Lorsque les écoles deviennent des ghettos remplis de règlements négatifs, chacun devient une cible potentielle de la violence.
4. L'habitude de rejeter le blâme sur les autres augmente les possibilités de réactions violentes. Dans le système scolaire, cette habitude est presque une tradition.
5. Le transfert d'une relation conflictuelle sur une autre personne peut mener à la violence. Il n'est pas rare qu'un élève transfère sur un professeur un conflit qu'il vit avec l'un de ses parents.
6. Les pertes successives qui affectent le sentiment de valeur personnelle peuvent être aussi sources de violence. Un élève dont les parents viennent de

se séparer et qui apprend de plus qu'il a échoué à un examen important peut réagir avec violence.

7. Un très grand contentement suivi d'une très grande déception peut entraîner l'apparition de gestes violents. Un professeur qui, en quelques heures, obtient sa permanence et se voit transféré dans une autre école peut poser des gestes violents.
8. L'exposition à un comportement violent peut déclencher une réaction violente. Si un enseignant tente d'arrêter une bataille, il s'expose à agir lui-même de façon violente.
9. Une grande fatigue, une période de découragement, l'alcool et les drogues peuvent aussi mener à la violence.

Que peut faire un enseignant qui doit intervenir dans une relation violente entre deux étudiants? D'abord être prudent et parler calmement en décrivant l'action et les risques ou les conséquences négatives des gestes violents. Offrir implicitement un espoir, une alternative, et proposer une action concrète différente, par exemple de s'asseoir. Surveiller les objets dangereux et demander de les poser par terre. Ne pas se placer au centre des belligérants et ne pas les toucher. Se déplacer sans mouvement brusque et tenter d'introduire de l'humour sans utiliser de sarcasme. Ne pas oublier que l'agresseur a autant besoin d'accompagnement que la victime, mais ne pas chercher à découvrir qui a commencé.

Bien sûr, l'accompagnement à moyen terme nécessitera peut-être l'intervention d'un professionnel de l'aide, mais le professeur pourra toujours collaborer aussi avec les parents pour modifier les facteurs qui entraînent la violence. Prévenir les comportements violents est aussi tout à fait indiqué. Nous y reviendrons dans la prochaine partie.

En termes de prévention et d'éducation, les enseignants jouent un rôle majeur dans la réalisation d'une société non violente. Chaque fois que des étudiants apprennent à verbaliser leurs idées et leurs sentiments, à les nuancer et à les exprimer de façon élaborée, ils développent d'autres voies de relation que la violence. Chaque fois qu'un professeur renforce les comportements non violents et fait appel à la créativité des élèves plutôt qu'à leur soumission ou à leur rébellion, il éduque à la non-violence. Chaque occasion de redéfinir les rôles sexuels et les rôles sociaux en termes égalitaires et complémentaires plutôt qu'en termes de pouvoir et de différences permet aux étudiants de développer d'autres modèles de référence. Chaque fois qu'un enseignant répond paisiblement à une approche violente, il éduque, au sens le plus noble du terme.

Isolez un adulte avec des enfants pendant plusieurs jours dans des conditions exigeantes et défavorables et la violence risque d'apparaître rapidement. Or, ce contexte est souvent celui des enseignants. Après les parents, ils forment le groupe professionnel le plus exposé à la violence physique et morale. Une piste de solution: briser l'isolement des enseignants en favorisant le travail en équipe le plus fréquemment possible, avec les autres professeurs, avec les autres professionnels, avec la direction, avec les parents. C'est à ce prix qu'ils développeront... le plaisir d'enseigner.

« Si vous n'arrêtez pas cette violence, vous aurez affaire à moi! »

XIX

Punitions et récompenses

La plus grande punition sans violence physique que l'humanité ait inventée est l'isolement. Retirer un être humain de son réseau social habituel peut être considéré comme le châtiment suprême de quelque système social que ce soit. Placer un fonctionnaire sur une voie d'évitement, expulser un rebelle, bannir un citoyen, emprisonner un criminel, mettre au trou un prisonnier récalcitrant, envoyer un enfant seul dans sa chambre, mettre un client à la porte, expulser un étudiant de la classe ou de l'école: toutes ces punitions, quoique se rapportant à des contextes différents, relèvent de la même dynamique d'isolement.

Chaque système social isole des personnes, surtout lorsqu'il ne trouve pas d'autres moyens pour leur permettre de fonctionner et d'interagir selon ses règles. Derrière l'isolement, il y a la croyance que la mésadaptation dépend de l'individu et non du réseau de relations dans lequel il évolue. Si une personne dérange un réseau, celui-ci l'expulse en croyant régler le problème ou en espérant diminuer la tension. Nous savons tous, car nous l'avons tous expérimenté d'une façon ou d'une autre, que l'expulsion ou l'isolement ne résout rien et ne diminue pas la tension. Celle-ci ne fait qu'augmenter en se déplaçant ailleurs. C'est pourquoi, par exemple, les prisons sont des lieux où la tension devient extrême; elles jouent le rôle de dépotoir des tensions sociales.

«Va réfléchir dans ta chambre»: cette sentence d'isolement, bien des parents l'ont prononcée bien des fois. Or, à y regarder de près, la vérité serait plutôt contenue dans la phrase suivante: «Va dans ta chambre, je vais réfléchir». Souvent, l'expulsion ou l'isolement survient lorsque la personne ou l'instance qui a le pouvoir ne sait plus comment faire face à l'individu qui présente un comportement déviant.

Dans le système scolaire, les expulsions et les isolements servent régulièrement de punitions, souvent en escalade jusqu'à l'expulsion définitive. Dans certaines situations de crise, l'expulsion partielle peut servir d'exutoire, mais un groupe d'enseignants a tout avantage à faire l'inventaire d'autres types de punitions qui puissent favoriser l'intégration des élèves en difficulté plutôt que leur expulsion.

Ces punitions possèdent deux qualités majeures: elles sont soit relationnelles, soit coopératives. Une punition dite relationnelle amène l'élève à accomplir une tâche avec au moins une autre personne. Une tâche, un devoir ou une démarche à faire impliquant au moins une autre personne oblige l'élève en difficulté à modifier ses relations pour l'accomplir. Une punition où l'élève doit consulter un confrère ou ses parents ou un autre professeur favorise l'élargissement de ses relations actuelles et peut ainsi l'aider à changer ses comportements.

Une punition coopérative oriente l'élève vers l'accomplissement d'une tâche où il peut apprendre, découvrir et bâtir. L'issue de la punition coopérative n'est pas de regretter le comportement négatif passé, mais bien d'apprendre de nouveaux comportements. Mieux vaut faire grandir une personne que de tenter de la casser.

Voici quelques exemples de punitions relationnelles et coopératives:

— Un enfant de neuf ans qui a brisé des choses dans l'école à plusieurs reprises doit s'enquérir auprès des ouvriers du coût et des méthodes de remplacement et en faire rapport à toute la classe.

— Une fille de onze ans très violente doit s'enquérir, avec l'aide de ses parents, des différentes écoles d'autodéfense et en faire un exposé devant tous les élèves de son niveau.

— Un garçon de quinze ans frondeur et perturbateur doit produire un article par semaine pour le journal étudiant sur le thème de la vie en société.

— Un groupe d'adolescents prédélinquants est chargé d'assurer l'ordre d'entrée à la cafétéria de l'école dans le but de protéger les plus petits.

— Une enfant de huit ans, petite peste, doit aider la plus faible de la classe.

— Une fille de quatorze ans, meneuse, négative, rebelle et volontairement disgracieuse, doit accompagner un de ses parents à un défilé de mode et en rapporter des croquis.

— Un garçon de douze ans toujours en retard est chargé des clés donnant accès aux locaux étudiants.

— Un garçon de seize ans bourru et agressif doit présenter devant la classe, avec tout l'attirail, le rituel de la cérémonie du thé pratiqué par les samouraï japonais.

Tous ces exemples ont été réalisés avec succès, mais chacun correspond à un contexte particulier qui ne peut servir de modèle à des comportements semblables. Cependant, nous retrouvons dans chacun de ces exemples les dimensions coopérative et relationnelle des punitions. Punir de la sorte exige un peu plus de temps et de créativité que d'exclure un élève mais, à moyen et à long terme, tous y gagnent, à commencer par l'élève.

Les récompenses jouent aussi un rôle important dans l'intégration et l'apprentissage des étudiants. Si une récompense porte un étudiant sur un piédestal par rapport aux autres, elle peut avoir le même effet que l'exclusion. Le premier, la meilleure, l'excellent élève peut se retrouver isolé par le fait même des récompenses qui lui sont attribuées. Les récompenses ont un effet d'autant plus pervers qu'elles désavantagent la majorité au profit de quelques-uns. Reconnaître le mérite d'un élève ne devrait pas ajouter de discrédit aux autres, sinon le premier sera isolé et les autres refuseront de collaborer.

Les récompenses comme les punitions devraient posséder le plus souvent possible les qualités relationnelle et coopérative. En d'autres mots, une récompense devrait favoriser l'ouverture de nouvelles relations ou le renforcement de celles déjà existantes, en plus de permettre à l'étudiant d'apprendre, de découvrir et de bâtir. Les notes ne sont pas du tout de ce type et les récompenses scolaires auraient avantage à être centrées sur les progrès réalisés par chacun plutôt que sur les résultats comparatifs. Récompenser quelqu'un pour ses efforts et pour sa propre évolution semble plus pédagogique que de récompenser quelqu'un d'avoir des talents plus nombreux que les autres.

Voici quelques exemples de récompenses relationnelles et coopératives:

— Droit de participer à une troupe de théâtre scolaire;

— Permission de préparer la prochaine démonstration scientifique;

— Téléphone d'un professeur aux parents pour leur manifester l'intéressante évolution de leur enfant, appel fait en présence de l'enfant;

— Applaudir en classe un élève qui fait de nouveaux efforts ou de nouveaux progrès dans une matière;

« ...et je suis extrêmement tolérant! »

— Remettre des certificats de mérite pour les progrès réalisés plutôt que pour les meilleures performances.

Récompenses et punitions forment un éventail pédagogique de première importance. Là encore, le travail en équipe des enseignants devient indispensable pour favoriser la créativité et pour aider chaque professeur à ne pas retomber dans les tendances habituelles de l'exclusion et de la performance. Lorsque, dans un établissement scolaire, les professeurs élaborent ensemble des récompenses et des punitions relationnelles et coopératives, tous les étudiants perçoivent aisément que ces professeurs éprouvent... le plaisir d'enseigner.

XX

Les maux des mots

Quel est le moyen pédagogique le plus utilisé par tous les enseignants? Les mots, le langage, la parole. Mais certains mots, certaines expressions, cachent un piège qui torture inutilement la relation maître-élèves. Il ne s'agit pas ici de faire une analyse systématique de tous les pièges possibles du vocabulaire pédagogique. Je veux tout simplement, par quelques exemples, signaler l'importance d'être attentif à certaines expressions qui risquent, à force d'être répétées, de créer des malentendus dans les classes.

— Le *mais* est une conjonction qui introduit une opposition à l'énoncé la précédant. Si un professeur utilise fréquemment l'expression *oui, mais* en réponse aux commentaires des étudiants, il ne se surprendra pas d'observer la montée d'un climat d'opposition et même d'agressivité dans la classe. De même, lorsqu'un étudiant exploite souvent le *mais* dans ses questions au professeur, ce dernier sentira monter en lui une attitude de plus en plus irritée. Mieux vaut remplacer le *mais* par le *et* pour ainsi développer un climat de coopération plutôt qu'une atmosphère conflictuelle.

— Les questions formulées par le professeur appellent des réponses plus ou moins élaborées selon le cas. Les questions fermées auxquelles on peut répondre par oui ou par non indiquent implicitement que le professeur ne veut pas de commentaire élaboré. Si, par ailleurs, ce même professeur désire une réponse complexe et nuancée, il veillera à formuler des questions ouvertes auxquelles le oui, le non ou le peut-être ne peuvent suffire.

Une autre qualité des questions est leur brièveté et leur précision. Plus une question est longue et complexe, plus elle suscite des réponses brèves et confuses. Plus une question est courte, précise et ouverte, plus la réponse peut être longue, nuancée, élaborée... à la condition expresse que des secondes de silence et de réflexion soient respectées. Si un professeur reprend la parole aussitôt que l'étudiant prend son souffle, l'échange de vues risque d'être rapidement écourté.

— Les pronoms utilisés lors d'explications fournies par le professeur peuvent aussi porter à confusion et handicaper la compréhension des étudiants. Ainsi le *on* indéfini provoque une recherche inconsciente de l'identité possible du sujet, évacuant l'attention nécessaire pour la compréhension du reste de la phrase. (Exemple: «On veut solutionner ce problème mathématique.» Qui le fera? le professeur ou l'élève?)

L'utilisation du pronom *vous* laisse souvent planer un doute sur les cibles réelles de la phrase. Certains étudiants ne se sentiront pas du tout concernés. (Exemple: «Vous devez vous appliquer maintenant si vous voulez réussir plus tard». Un étudiant du groupe peut choisir de réussir maintenant et donc de s'appliquer plus tard. Un autre peut estimer que si les vingt autres étudiants s'appliquent, lui réussira plus tard. Un autre étudiant se dira que pour lui c'est déjà fait. Un dernier, enfin, songera à l'avenir tout en oubliant l'application présente.)

L'emploi des pronoms *tu* ou *vous* dans la relation quotidienne maître-élèves indique ou non une certaine hiérarchie. La tendance américaine de tutoyer tous les gens, toutes fonctions confondues, prétextait l'égalité démocratique. Au risque de paraître rétro, je favorise le vouvoiement des professeurs par les élèves, lequel permet une certaine distance affective qui m'apparaît saine pour la relation d'apprentissage et pour l'établissement d'une structure sociale scolaire moins confuse.

— Les verbes font appel à trois niveaux différents de l'expérience humaine: le penser, le sentir et le faire.

Des verbes comme vérifier, dire, négocier, calculer, structurer réfèrent au penser.

Des verbes comme exprimer, raconter, confronter, recevoir, réagir suscitent le niveau du sentir.

Des verbes comme demander, refuser, donner, prendre stimulent le niveau du faire.

Au moment où un professeur vise spécifiquement un certain niveau d'expérience chez ses étudiants, il ferait bien de choisir attentivement ses verbes, sinon toute sa belle préparation de cours risque d'être bousillée par la réaction des étudiants. Par exemple, pour faire apprécier la beauté d'un poème, mieux vaut demander: «Exprimez ce que vous ressentez à la lecture de ce poème» que: «Vérifiez la qualité de cette structure poétique».

— Les *pourquoi?* et les *comment?* nécessitent eux aussi un judicieux dosage. *Pourquoi?* invite à chercher les causes, à justifier les positions. *Comment?* oriente vers la description, vers l'ouverture aux phénomènes. «Pourquoi un moteur diesel fournit-il de l'énergie motrice?» est une question de physique pure. «Comment un moteur diesel fournit-il de l'énergie?» est une question de mécanique. «Pourquoi les pays se font-ils la guerre?» est une question philosophique ou socio-éthique. «Comment les pays se font-ils la guerre?» est pour sa part une question d'histoire. «Pourquoi un étudiant est-il agressif?» est une question d'interprétation morale. «Comment un étudiant est-il agressif?» est une question de psychologie aidante.

Les mots sont des ponts entre maîtres et élèves, et ces ponts peuvent être minés. Cependant, il n'est pas nécessaire de surveiller constamment notre langage; il suffit d'y être attentif durant ou après des moments cruciaux de la relation psychologique. Le pire n'est pas de ne pas utiliser le bon mot mais de ne pas corriger les erreurs à répétition. Il est facile de reprocher à des étudiants de ne pas comprendre, mais cette attitude pave la voie menant à l'inefficacité. Prendre sur soi le défi de reformuler pour être compris conduit à de meilleures conditions d'apprentissage et... au plaisir d'enseigner.

« Je ne cesse de leur parler
et pas un ne répond. »

XXI

L'éducation sexuelle

La vie et l'éducation sexuelle font partie de l'expérience de tous, quel que soit l'âge. Précisons tout de suite que la sexualité comprend toutes les attitudes et tous les comportements liés à notre corps sexué; notre sensualité, nos fantaisies, notre identité de mâle ou de femelle font partie de notre sexualité aussi bien que notre génitalité et notre fécondité. L'immense majorité de nos attitudes et de nos comportements sexuels sont appris; cet apprentissage commence dès notre naissance et dure jusqu'à notre mort. Nous apprenons à vivre notre sexualité en imitant, en confrontant et en expérimentant, seuls et avec les autres. Les apprentissages sexuels de base se réalisent au sein même de la famille. Sans même qu'ils en soient conscients, parents et tuteurs deviennent pour les enfants les premiers éducateurs de leur sexualité. Par leurs attitudes et par leurs gestes, par leurs exigences et leurs interdits, les parents (ou tuteurs) fournissent aux enfants les premiers repères de leur identité sexuelle. Chaque enfant apprend très jeune comment et qui toucher, comment et avec qui donner et recevoir de l'affection, comment et quand prendre soin de son corps. Avant même son premier jour de classe, chaque enfant possède déjà un bon bagage de règles et de normes concernant la sexualité.

Après la famille, l'école demeure un lieu important de l'éducation sexuelle. D'abord de façon explicite, le système scolaire fournit lui aussi des règles et des normes de conduite touchant la sexualité. La tenue vestimentaire et les types de relations permises ou interdites entre garçons et filles en sont des exemples. Autre exemple: Que penser des écoles qui affublent encore la première année scolaire du nom de «maternelle», expression sexiste par excellence? Explicitement aussi, l'école fournit des contenus traitant de la sexualité et de la génitalité. Intitulés «Hygiène et bienséance» ou «Formation de la personne», ces cours fournissent aux étudiants des informations et des repères culturels et moraux supplémentaires à ceux acquis dans leur famille.

Mais c'est l'éducation sexuelle implicite qui me semble avoir le plus d'impact auprès des élèves. Ces enfants, ces adolescents nous observent en tentant de saisir ce qui est conforme ou non à leur sexe. Ils nous regardent interagir entre adultes et s'ajustent aussi aux interactions que nous établissons avec eux. Nombreux sont les étudiants et les étudiantes qui sont dévorés par une passion secrète pour un ou une de leurs professeurs. Nombreux sont les élèves qui recherchent auprès des enseignants la tendresse qui leur fait cruellement défaut. Plus généralement, toutes les attitudes et tous les comportements à connotation sexuelle des professeurs peuvent montrer, confirmer ou infirmer telle ou telle dimension de la sexualité des jeunes.

L'école est aussi l'endroit où les étudiants sont confrontés aux critères sexuels de leurs pairs et expérimentent par essais et erreurs les modes possibles de relations avec les personnes du même sexe et avec celles de l'autre sexe. Comme les enfants et les adolescents sont en général beaucoup plus rigides que les adultes dans leur façon de définir et d'appliquer les normes et les règles sexuelles, les enseignants doivent être attentifs aux normes érigées dans les groupes de pairs afin qu'elles ne nuisent pas à l'épanouissement sexuel des individus. Par exemple, les enfants définissent très rapidement des normes sexistes dans leurs jeux et leurs activités. Il revient à l'en-

« Je suis contre l'éducation sexuelle dans les écoles;
je suis contre les vêtements colorés;
je suis contre les accolades;
je suis contre les mots affectueux;
je suis contre le hockey féminin;
je suis contre les cours d'art culinaire aux garçons;
je suis contre... »

seignant de leur permettre de faire l'expérience de normes non sexistes (les filles au dessin, les gars au bricolage et vice versa). Autre exemple, les adolescents érigent des normes entre eux quant aux modes de fréquentations entre les deux sexes. L'enseignant pourrait suggérer plusieurs modes de fréquentations afin de leur ouvrir des horizons (la camaraderie, l'amitié, l'amour, l'exclusivité, la rencontre sociale, la complicité, etc.).

Il ne faudrait pas croire que l'éducation sexuelle à l'école revient d'abord à des spécialistes qui en ont la charge à des périodes spécifiques. L'éducation sexuelle se fait surtout par les exemples et les normes fournis par l'ensemble des enseignants sur les rôles sexuels et sur les relations sociales et affectives entre les sexes. Les professeurs deviennent pour les étudiants les représentants quotidiens des attentes de la société quant aux comportements sexuels acceptables ou non. Qu'ils le veuillent ou non, les enseignants fournissent par leurs attitudes des modèles de rôles sexués bien plus impressionnants pour les jeunes que toute idole ou vedette qu'eux-mêmes identifient. La maturité sexuelle des professeurs devient ainsi un objectif qui équilibre leur... plaisir d'enseigner.

XXII

La participation des parents

Le discours habituel sur la participation des parents dans le système scolaire est semé d'embûches. Les politiciens, les responsables scolaires et les enseignants emploient plusieurs formules pour inviter les parents à collaborer à la carrière scolaire de leurs enfants, mais la plupart du temps ces formules obtiennent le résultat opposé: les parents démissionnent. Nous examinerons ici quatre de ces formules habituelles auxquelles je réagirai à titre de parent.

1. L'école doit inviter les parents à prendre leurs responsabilités.

J'ai assumé mes responsabilités comme père bien avant que l'école ne m'y invite. Je leur ai donné la vie et je continue chaque jour à la leur donner à ma manière, à la mesure de mes talents et de mes énergies. Je refuse de m'entendre dire que je me décharge de mes responsabilités de père lorsque j'envoie mes enfants à l'école. J'ai ma façon de percevoir les besoins en éducation de mes enfants et cette perception vient de ma propre culture et de ma propre éducation. L'école n'a pas à choisir à ma place quand, comment et quelles responsabilités je devrais assumer en tant que parent. En lieu et place, l'école aurait plutôt intérêt à me reconnaître comme parent responsable et à me remercier au nom de la société pour la part que je prends dans l'éducation de mes enfants.

2. Les parents devraient s'impliquer activement dans la carrière scolaire de leurs enfants.

J'ai fait un petit calcul: Chaque jour de classe, je consacre en moyenne quinze minutes au départ pour l'école et à l'arrivée, plus une heure aux travaux scolaires, plus au moins deux heures par mois pour les vêtements, plus une demi-heure par jour pour le casse-croûte, plus une heure par mois pour les spéciaux scolaires. Total: environ trois cent cinquante heures par année. Quant aux rencontres pour les parents à l'école, disons quatre ou cinq par année de trois heures chacune. Et ce calcul ne comprend qu'un seul enfant. Que voulez-vous de plus comme implication active? Que tous les parents fassent comme moi? Mais ils le font, chacun à leur manière et selon leurs talents et leur énergie.

3. Les parents qui viennent aux rencontres et réunions scolaires ne sont pas ceux qui en ont le plus besoin.

Si je ne me présente pas aux réunions de parents, je vous prie de m'accorder le bénéfice du doute. Se pourrait-il que j'aie choisi d'être ce soir à la maison avec mes enfants parce que j'estimais que ma présence était plus nécessaire là qu'à l'école? Si l'enseignant ou la direction désire expressément discuter avec moi du sort de mes enfants, je me ferai un plaisir de collaborer à la suite d'une invitation qui me reconnaisse dans sa forme comme parent responsable et compétent.

4. Souvent les parents sont la cause des problèmes de leur enfant.

Je sais déjà que je ne suis pas un parent parfait; il n'est pas nécessaire de me le rappeler. Ce que j'attends des enseignants, c'est qu'ils fassent alliance avec moi pour l'enfant et non qu'ils s'érigent comme juges de mes actions parentales. Je suis prêt à aider un professeur à aider mon enfant. Je refuserai toujours de suivre les conseils d'un

« Monsieur, votre fils a un complexe de supériorité. Tâchez d'y remédier ... s'il vous plaît. »

professeur pour être un meilleur père. Papa et maman ont raison même s'ils ont tort parce qu'ils sont, comme parents, irremplaçables. L'école n'a pas à suppléer mes carences parentales mais bien à offrir un complément à mon rôle majeur et déterminant dans l'éducation de mon enfant.

L'école et les enseignants se doivent d'être des alliés inconditionnels des parents, quelles que soient les capacités objectives de certains parents. Les parents ne sont pas au service de l'école; c'est l'école qui est au service des familles et de la communauté. Même les pires parents du monde ont besoin d'être reconnus à partir de leurs tares. Tous les parents sont imparfaits et tous les parents ont besoin d'alliés. Les enseignants peuvent s'allier aux parents pour partager leur... plaisir d'enseigner.

XXIII

Administration et enseignement

Les relations entre les administrateurs scolaires et les enseignants pourraient faire l'objet d'une longue litanie de déceptions et d'attentes mutuelles. Les règles et procédures administratives sont la plupart du temps conçues pour répondre aux besoins et aux aspirations des étudiants et des enseignants. Malheureusement, ces mêmes règles et procédures sont souvent perçues et reçues comme des entraves à l'efficacité et à la créativité des enseignants. À l'inverse, les fonctionnaires et les directeurs d'école accueillent souvent avec méfiance ou exaspération les revendications et les demandes des enseignants alors qu'elles sont la plupart du temps formulées dans le but de dispenser un meilleur service aux étudiants.

Dans certaines institutions scolaires, ces mauvaises perceptions des relations tournent au vinaigre, surtout lorsque la gérance quotidienne s'effectue dans le cadre de coupures et de restrictions budgétaires. Les relations de travail et les relations interpersonnelles entre les administrateurs et les enseignants peuvent dégénérer en conflits ouverts où tous y perdent, y compris les étudiants.

Pour prévenir ce climat de travail malsain, plusieurs suggestions peuvent être mises à profit:

1. Faciliter et favoriser des rencontres ouvertes entre administrateurs et enseignants, rencontres où tous sont invités et où le seul objectif est d'entendre les idées et les aspirations de chacun sans rien décider sur place.
2. Présenter un organigramme clair où tous peuvent savoir qui prend quelle décision.
3. Réduire la paperasse au minimum:
   — en diminuant le nombre de paliers de décision;
   — en diminuant le nombre de secteurs spécialisés;
   — en augmentant les possibilités de contacts interpersonnels;
   — en protégeant constamment la liberté professionnelle des professeurs;
   — en permettant à chaque niveau dans l'organisation scolaire d'effectuer sa propre planification et ses propres contrôles.
4. Offrir le plus souvent possible des ressourcements ou des perfectionnements communs aux administrateurs et aux enseignants pour qu'ils développent ensemble une perspective commune de la mission scolaire.
5. Favoriser une vie syndicale très active dans chaque milieu scolaire afin d'éviter l'isolement professionnel autant chez les enseignants que chez les dirigeants.
6. Faire appel à des ressources extérieures de façon ponctuelle ou suivie au moment de l'élaboration de projets éducatifs ou pour revoir les modes de gestion.
7. Mettre à la disposition des administrateurs, administratrices, enseignants et enseignantes ayant des problèmes d'ordre personnel ou familial des programmes d'aide aux employés.

« Je porte toute l'école sur mes épaules. »

8. Permettre, par tous les moyens, l'information la plus complète et la plus ouverte possible sur l'ensemble de la vie scolaire et administrative d'une institution. Un climat de secrets engendre des rumeurs, qui engendrent des clans, qui engendrent des conflits.
9. Ne jamais laisser une personne assumer seule tout un champ de décisions. Le travail en équipe, la consultation et la négociation portent plus de fruits et produisent souvent plus d'énergie à moyen terme que le despotisme.
10. Développer une culture où le consensus est préféré à la règle du vote majoritaire. Mieux vaut prendre plus de temps pour que tous se rallient à une option que d'imposer à une minorité une décision qu'elle boycottera ensuite pendant longtemps.
11. Ne pas s'attendre à ce qu'un ancien enseignant devenu directeur prenne le parti des enseignants. Toute personne changeant de rôle social change aussi ses attitudes et ses perceptions puisque chaque fonction amène son cortège d'obligations et d'alliances nécessaires.
12. Les problèmes administratifs ou organisationnels ne peuvent dépendre d'une seule personne, même si telle peut être la perception de toutes les autres personnes lésées. Par exemple, dans une école où tous disent que tel directeur nuit à toute l'école, ce n'est pas le directeur qui est le problème, mais bien l'ensemble de la vie de cette école. Changer le directeur n'est pas une solution en soi si aucun autre élément de la vie de l'école n'est changé.

Toute organisation scolaire sera toujours imparfaite, mais les enseignants ont quand même le choix et les moyens d'en faire soit un milieu de conflits et d'épuisement, soit un lieu où chacun peut vivre... le plaisir d'enseigner.

XXIV

Pourquoi enseigner?

Quel est le mandat social de l'école? Quel est le but ultime de l'éducation? À quoi sert le système scolaire? Depuis au moins quatre millénaires, les humains ébauchent des réponses à ces questions (n'en déplaise au mythe de la création des écoles par Charlemagne). Depuis qu'il y a des écoles, des maîtres et des élèves, les penseurs de toutes croyances et de toutes cultures ont formulé des objectifs pour l'éducation scolaire. Or, encore aujourd'hui, la question reste ouverte et chaque groupe, chaque société, chaque génération renouvelle les différentes réponses.

Enseigner pour préparer à un métier, à une profession. Voilà l'objectif le plus restreint qu'on puisse donner à l'école; les métiers et les professions changent, les besoins sociaux aussi. Enseigner pour transmettre seulement des connaissances techniques conduit les étudiants dans des culs-de-sac intellectuels et fonctionnels. Préparer à un métier, c'est préparer les chômeurs de demain.

Enseigner pour apprendre à travailler. Voilà déjà un objectif plus large. L'école servirait à former de bons travailleurs aptes à fournir énergie, concentration, soumission, constance et application. Le rôle des employeurs serait de leur apprendre ensuite des techniques spécifiques. Avec cet objectif, la société deviendrait une véritable usine où chacun vivrait pour travailler alors que nous pourrions travailler pour vivre.

Enseigner pour apprendre à penser. Avec cet objectif, l'accent est mis sur la réflexion, sur le rationnel et sur l'observation. Bien utiliser notre intelligence, voilà qui est méritoire! Mais à quoi penser? Comment penser? Que faire avec nos idées? Les options arrivent par millions; les choix sont difficiles, pour ne pas dire impossibles, d'où toutes les manipulations culturelles pour privilégier telle ou telle forme de pensée. L'école serait alors un agent de stabilisation culturelle et sociale.

Enseigner pour apprendre à être ou à vivre. Dans cette optique, l'école se considère comme un milieu de vie privilégié et exemplaire. Il s'agit pour les étudiants de se conformer aux attentes implicites et explicites des enseignants qui les encadrent. Libres enfants ou disciples soumis, l'important est de se conformer au modèle de vie dominant. Le but de l'école devient de préparer une génération à la mesure des aspirations de celle qui la précède. Les enfants deviennent le critère de réussite des parents; la société, par l'entremise de l'école, devient le juge en chef.

Enseigner pour apprendre à apprendre. L'apprentissage se centre sur l'apprentissage. Peu importe les contenus, peu importe les valeurs, l'important c'est d'apprendre. On croirait entendre un économiste: la croissance avant tout, grandir pour grandir. On croirait entendre une publicité: la vie est en avant, l'important c'est le mouvement. Dans ce cadre, l'école s'ouvre à tous les vents, à tous les changements et elle devient le point de référence pour la vie entière puisque nous n'avons jamais fini d'apprendre.

Enseigner pour apprendre la base: lire, écrire et compter. Si une société voulait couper de façon draconienne les coûts de son système scolaire, elle n'aurait qu'à se fixer cet objectif. Après trois ou quatre ans d'ensei-

LES PASSAGES DE LA VIE:

gnement bien fait, le tour serait joué. Il faudrait ensuite centupler les bibliothèques et les bibliothécaires. L'enseignement individualisé régnerait en maître.

Enseigner pour fournir une formation globale. Cet objectif veut atteindre toutes les dimensions de la vie humaine. C'est le plus large de tous les objectifs, il étend ses tentacules jusque dans les recoins les plus sombres de l'expérience humaine. Le danger: l'éparpillement, la confusion, un fourre-tout sans projet précis. Comme si l'école était le seul lieu de formation!

Pourquoi enseigner, alors? Tous ces objectifs ont leur valeur et plusieurs sont conciliables. La diversité des objectifs, liée à la diversité des enseignants, assure un système scolaire de qualité. Cependant, cette qualité de l'aventure scolaire nécessite une condition: l'acceptation de la diversité, des différences. Tout projet éducatif sera d'autant plus riche et profitable pour l'ensemble des étudiants qu'il reconnaîtra la diversité des options et des expériences. L'école deviendra un lieu privilégié pour créer des liens entre tout et entre tous. Chaque enseignant apportera sa propre perspective, ses connaissances et son expérience, qu'il offre aux étudiants en solidarité avec le bagage différent des autres professeurs.

Pourquoi enseigner? Pour offrir sa parcelle de vie et de vérité à une parcelle de l'humanité. Il n'est pas d'enseignant sans poésie et sans utopie. À chaque professeur de choisir avec les autres les buts et les objectifs qui lui procureront... le plaisir d'enseigner.

XXV

Le plaisir d'enseigner

L'enseignement est presque un monde en soi. J'ai tenté dans ce livre d'en souligner quelques facettes en me référant chaque fois au plaisir d'enseigner. Mais, enfin, ce plaisir d'enseigner, quel est-il? Simple vibration physique, joie et détente ou dynamique plus profonde, plus subtile?

Le plaisir d'enseigner, j'en suis témoin chaque fois que je vois un groupe de professeurs investir temps et énergie pour monter ou appliquer un nouveau projet, un nouvel instrument. Le plaisir d'enseigner, je l'entends chaque fois qu'un enseignant discute avec un autre des moyens d'aider un étudiant en difficulté. Le plaisir d'enseigner, je le sens dans la vigueur renouvelée, cours après cours, période après période. Après avoir rencontré des milliers d'enseignants, je suis persuadé qu'ils ont tous connu des moments de grand plaisir dans l'enseignement et qu'ils font tout pour renouveler le plus souvent possible cette sensation profonde d'enthousiasme partagé.

La reconnaissance sociale offerte aux enseignants demeure pauvre et trop souvent cachée, mais n'importe quel professeur possédant quelques années d'expérience vous dira qu'il a rencontré (aperçu ou perçu) cette reconnaissance dans les yeux d'un ancien étudiant rencontré par hasard, dans le sourire d'un parent soulagé à la fin d'une rencontre, dans les salutations joyeuses et espiègles des élèves à la fin d'une année scolaire.

L'école n'existe pas pour le plaisir des professeurs et ceux-ci n'enseignent pas pour leur propre plaisir. Pourtant, à travers efforts, découragements et reprises surgit, au moment où on s'y attend le moins... le plaisir d'enseigner.

« Bonjour! Je suis content de vous rencontrer en ce début d'année. »

« C'est malheureusement aujourd'hui que nous nous quittons. »

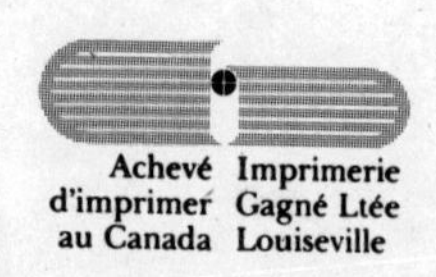
Achevé d'imprimer au Canada
Imprimerie Gagné Ltée Louiseville